W9-DJB-402

Fabliaux
et Contes
du Moyen Age

LIBRAIRIE HATIER - 8, RUE D'ASSAS - PARIS

présentation par **G. Chappon**

d'après l'édition de **Nelly Caullot**
Agrégée des Lettres, Professeur au Lycée Molière
dans la Collection des Classiques Hatier

© Hatier - Paris 1967
Toute représentation, traduction, adaptation ou reproduction,
même partielle, par tous procédés, en tous pays, faite sans
autorisation préalable est illicite et exposerait le contrevenant
à des poursuites judiciaires.   Réf. Loi du 11 mars 1957.

ISBN 2 - 218 - **00352** - X

Vous trouverez dans ce livre

PAGES

4   *Une présentation des* Fabliaux *et des* Contes *du Moyen Age.*

8   *Un choix de* Fabliaux *et de* Contes, *traduits en français moderne, annotés et accompagnés de questions destinées à vous guider dans leur lecture ou leur étude. (Quelques extraits dans le texte original).*

76 *Des jugements sur les* Fabliaux *et les* Contes *: les* Fabliaux *et les* Contes *vus par...*

77 *Un index du vocabulaire des* Fabliaux *et des* Contes.

COUVERTURE :

Travaux à la ferme.

Enluminures flamandes des *Heures de la Vierge,* début du XVIe siècle (Pierpont Morgan Library, New York).

Les costumes des paysans sont à peu près les mêmes qu'au XIIIe siècle : blouse, bonnet, chaussures.

Les Fabliaux

Sujets de fabliaux

Un chien s'appelle Estula : ce nom équivoque *(Es-tu là)* jette deux voleurs et un curé dans une mésaventure fort drôle *(Estula)*.

Un couple de paysans a entendu dire au sermon que Dieu rendait au double ce qu'on lui donnait de bon cœur. Ils offrent donc au curé leur unique vache… et cette vache revient bientôt entraînant avec elle celle du presbytère *(De Brunain et de Blérain)*.

Un homme est sauvé par un pêcheur qui, en le tirant de l'eau, lui crève un œil. Il porte plainte contre son bienfaiteur et la sentence des juges, inspirée par un fou, est qu'on le rejette à la mer : pour que la perte de son œil lui vaille une indemnité, il faut qu'il échappe à la noyade par ses propres moyens! *(Le Prud'homme qui sauva son compère)*.

Un paysan se fait accepter au Paradis… en disant quelques sévères vérités aux saints qui en gardent l'entrée *(Du Vilain qui conquit le Paradis par plaid)*.

Encore un paysan. Celui-ci a remis à sa femme deux perdrix pour qu'elle les cuise et s'en va inviter le curé au festin : la gourmande les mange en son absence. A son retour, il aiguise son couteau en pensant à la joie de les découper. L'invité, à qui la femme fait croire qu'on se prépare à lui trancher les oreilles, s'enfuit en courant… Elle crie alors qu'il emporte les perdrix! *(Le Dit des perdrix)*.

Des messagers cherchent un médecin pour la fille du roi qui a avalé une arête : une femme de la campagne, voulant se venger de son mari, leur affirme qu'il est le meilleur des médecins, mais qu'il n'en convient qu'une fois roué de coups. Bien battu en effet, le paysan se livre à des contorsions qui donnent le fou-rire à la princesse et la délivrent ainsi de son arête. Mais, dès lors célèbre, il voit venir à lui une foule de malades : il s'en débarrasse… en annonçant qu'il va brûler le plus gravement atteint pour guérir les autres avec ses cendres *(Le Vilain Mire)*.

Un étudiant joue des farces à trois aveugles, à un aubergiste, à un prêtre *(Les trois aveugles de Compiègne)*.

Un riche bourgeois s'est dépouillé pour marier noblement son fils à la condition que celui-ci l'hébergera jusqu'à sa mort. Après douze ans, il est chassé sur les instances de sa bru. Il demande du moins une couverture à son fils qui envoie son petit garçon en chercher une à l'écurie : l'enfant la coupe en deux et explique… qu'il en réserve la moitié pour la donner à son père quand à son tour il se débarrassera de lui *(La Housse partie)*.

Telles sont les histoires que nous offrent les *Fabliaux*, ces contes ingénieux et amusants dont nous ignorons souvent l'auteur et qui, écrits du XIIe au XIVe siècle, nous sont parvenus au nombre de 147.

et les Contes

Le fabliau est avant tout moquerie

Ces contes peuvent nous apporter une leçon morale : le père de *La Housse partie* a compris celle que son enfant lui infligeait.

Mais le fabliau est avant tout « risée et raillerie ». « Ce sont risées pour ébattre (amuser, détendre) rois, princes et comtes », et aussi bien les bourgeois, car ces fables, récitées par les « jongleurs » ambulants, pénétraient dans la demeure des marchands comme à la cour des seigneurs et dans la chambre des « dames ». Si certains fabliaux ne rejettent pas la grossièreté, beaucoup sont franchement plaisants, d'autres gracieux ou chevaleresques : tous visent à faire rire.

Le poète du *Pauvre Mercier* nous le dit en vers harmonieux :

> Si je dis chose qui soit belle,
> Elle doit bien être écoutée.
> Et par beaux contes sont oubliées
> Maintes fois colère et douleur :
> Car si quelqu'un dit des risées,
> Les forts chagrins sont oubliés.

Seigneurs, paysans, prêtres, moines ou bourgeois, les fabliaux n'épargnent personne. Pas davantage les femmes, qu'ils peignent querelleuses, rusées, menteuses, rancunières. Mais leur rire est presque toujours sans arrière-pensée. Leur verve, qui exprime simplement la joie de vivre, s'exerce aux dépens des personnes — gens instruits, laïcs ou prêtres — avec la plus grande liberté, sans s'attaquer aux principes, établis dans une société fortement organisée et hiérarchisée.

Le fabliau peint des scènes familières

Les personnages qui animent ces historiettes forment des groupes vivants, pittoresques : bourgeois et paysans, lettrés ou marchands, prêtres et moines, chevaliers et dames de « haut lignage » ou de « petite extrace », tous, à l'exception du haut clergé, des pages, des rois, ont un rôle dans cette ample comédie.

Ils défilent, et le regard du conteur saisit leur faible, accentue leur ridicule en des scènes familières. Ici, un jeune étudiant, un *clerc*, se joue sans scrupule de trois pauvres aveugles et d'un hôtelier en festoyant devant une belle flambée. Là, une campagnarde tourne la broche où rôtissent des perdrix, et elle ne résistera pas à la tentation de goûter à son rôti puis de le dévorer jusqu'à la dernière cuisse. Ailleurs, un mauvais garnement coupe des choux chez le voisin tandis que son compagnon cherche à tâtons le mouton le plus gros.

Toutes les scènes sont situées dans un décor précis qui donne l'illusion de la réalité. Ce décor est un élément du récit et contribue à le colorer : cette taverne où la table est près du feu; la maison d'un riche paysan, bien close, avec, à l'entour, le jardin, le bercail, la basse-cour : et, malgré l'heure tardive, on y veille encore quand les maraudeurs surviennent.

L'art des fabliaux? Aisance et simplicité

Les fabliaux sont écrits dans le mètre alerte qui convient le mieux au récit : le vers de 8 pieds. Point de recherche savante dans les rimes : mais, exactes et parfois riches, elles témoignent, comme le rythme, d'une sûreté d'oreille que pourraient envier les artistes les plus ambitieux.

La langue, simple et pittoresque, traduit avec une précision singulière les attitudes, les gestes, crayonnant une silhouette, dessinant en quelques mots un malicieux croquis, une scène pleine de vivacité :

« Il regarda, et vit droit devant lui un homme tout près de se noyer. Le pêcheur était très brave et fort agile : il se dresse sur ses pieds, saisit un crochet, le brandit et frappe l'homme en plein visage de telle sorte qu'il le lui a planté dans l'œil... » *(Le Prud'homme qui sauva son compère)*.

« Elle court attaquer l'une des perdrix : elle en mangea les deux ailes. Puis elle va voir dans la rue si son mari ne rentre pas. Et, comme elle ne voit rien venir, elle s'en retourne chez elle où elle ne fut pas longue à dévorer le reste de sa perdrix » *(Le Dit des perdrix)*.

La netteté du trait, la rapidité du rythme apparentent les fabliaux aux ombres chinoises : mieux, au dessin animé.

Le sujet peut être d'une extrême simplicité : *Estula* repose sur un méchant calembour. Parfois petite comédie à trois personnages *(Le Dit des perdrix)*, le fabliau sait aussi entrecroiser deux intrigues et multiplier les personnages *(Le Vilain Mire)*, ou amener successivement des épisodes variés, comme dans *Les trois aveugles de Compiègne*, avant d'aboutir à un dénouement imprévu.

L'origine des fabliaux est incertaine

L'origine des fabliaux a donné lieu à de nombreuses controverses. Sont-ils l'aboutissement de vieilles croyances? Doit-on les attribuer à l'imagination des peuples d'Orient? N'ont-ils pas plutôt pris naissance en des lieux et en des temps divers, qu'on ne peut déterminer (Joseph Bédier, *les Fabliaux*, 1893)? Il est une chose certaine : leurs personnages, leurs décors se situent exactement en France et ces œuvres littéraires qui nous apportent une aimable détente ont un caractère essentiellement français.

Les contes sont des récits édifiants

Les *Contes* se distinguent des *Fabliaux* auxquels les manuscrits les ont mêlés : par leur intention édifiante, moralisatrice ou religieuse, par le caractère même du récit, moins bref, plus élégant et sentimental, par l'intervention du surnaturel, du « merveilleux ».

Un paysan a pris un oiselet au lacet pour se réserver le plaisir de son chant. Cet oiselet, une fois capturé, refuse de chanter. Menacé d'être mangé, il obtient sa grâce et la liberté en échange de trois préceptes de la plus haute valeur. Quand il est relâché, il affirme qu'en ouvrant son corps on y aurait trouvé une pierre précieuse... et, pour consoler le paysan, il lui répète ses trois préceptes, dont celui-ci : « Ne crois pas tout ce qu'on te dira. » Ce conte a pour titre *Du vilain et de l'oiselet*.

Le Larron qui embrassa un rayon de lune relate avec humour la mésaventure d'un larron. Le bourgeois chez qui il se préparait à pénétrer, l'ayant aperçu, déclare à sa femme qu'il s'est enrichi grâce à un charme : il lui suffisait, pour entrer dans une maison et y prendre tout ce qu'il voulait, de saisir dans ses bras un rayon de lune. Le trop naïf voleur embrasse un rayon de lune... et tombe en se brisant une jambe et un bras.

La Sacoche perdue est l'histoire d'un marchand qui a perdu sa sacoche pleine d'or. Un brave bourgeois, qui l'a trouvée, veut la lui rendre : mais lui la refuse, se jugeant moins digne que cet honnête homme de la posséder.

Le Chevalier au barillet met en scène un seigneur impie à qui un ermite a imposé comme pénitence de remplir son petit baril au ruisseau. Pas une seule goutte n'y rentre! Furieux et par défi, le méchant homme décide de parcourir le monde tant qu'il n'aura pas réussi dans sa tentative. Au bout d'un an, misérable, épuisé, il se présente devant l'ermite : touché par la pitié du bon religieux, il se repent enfin, verse une larme... et cette larme suffit à faire déborder le barillet.

Merlin conte l'histoire d'un pauvre vilain à qui le devin Merlin a permis de découvrir un trésor et d'en jouir à condition de l'utiliser dans l'amour des malheureux. Enrichi, le paysan devient plus ambitieux d'année en année, se montre ingrat et insolent envers son bienfaiteur, vit « à son gré » sans craindre que la « roue de la Fortune » tourne pour, c'est-à-dire contre lui : il finit par se trouver sans un denier, contraint d'user, comme auparavant, « sa vie dans la peine, puni de son fol orgueil.

LES FABLIAUX

Estula[1]

[Sans date ni nom d'auteur.]

Il y avait jadis deux frères sans conseil de père ni de mère et sans autre compagnie. Pauvreté était leur amie, car souvent elle était avec eux. C'est la chose qui tourmente le plus ceux qu'elle hante. Il n'est pire maladie.
5 Ils demeuraient ensemble, les deux frères dont je vous parle. Une nuit, ils furent poussés à bout par la faim, la soif et le froid. Chacun de ces maux tenaille souvent ceux que Pauvreté retient dans ses chaînes. Un jour, ils se prirent à réfléchir comment ils pourraient se
10 défendre contre Pauvreté qui les harcèle et souvent leur fait sentir l'aiguillon.

Un riche de très grand renom demeurait tout près de leur maison. Ils sont pauvres, le riche est sot. En son potager, il avait des choux, et des brebis à l'étable.
15 Tous les deux, ils s'en vont de ce côté. Pauvreté rend fou plus d'un homme! L'un prend un sac à son cou, l'autre un couteau dans sa main : les voilà tous deux en campagne. L'un entre tout droit au potager et il ne se met pas en retard : il coupe des choux dans le jardin.
20 Le second se dirige vers le bercail pour ouvrir la porte : il fait tant qu'il l'ouvre. Il lui semble que l'affaire va bien; à tâtons, il cherche le mouton le plus gras. Mais on était encore sur pied dans la maison, si bien qu'on entendit parfaitement la porte du bercail quand elle
25 s'ouvrit.

Le prud'homme* appela son fils :

« Va voir, dit-il, au jardin, si tout y est bien normal : appelle le chien de garde. »

Le chien avait pour nom Estula; fort heureusement
30 pour les deux frères, cette nuit-là il n'était pas dans la cour. Le jeune homme était aux écoutes. Il ouvrit la porte qui donnait sur la cour et cria : « Estula! Estula! » Et celui qui était dans l'étable de répondre : « Oui, vraiment, je suis ici[2]. » Il faisait très obscur et noir de
35 sorte qu'il ne put apercevoir celui qui lui avait répondu.

* Les astérisques renvoient à l'Index, où les mots sont dans l'ordre alphabétique. 1. Le jeu de mots atteste l'origine locale et toute française du conte. 2. Se rappeler le calembour d'Ulysse déclarant à Polyphème qu'il a nom « Personne » (Odyssée, XI).

8

En lui-même réellement il crut que c'était le chien. Il n'a guère attendu : à la maison tout droit il s'en revint. Il tremblait de peur en arrivant.

— Qu'as-tu, beau* fils? lui dit le père. — Sire*, par
40 la foi que je dois à ma mère, Estula vient de me parler.
— Qui? notre chien? — Parfaitement, je le jure; et si vous ne voulez m'en croire, appelez-le et vous l'entendrez aussitôt parler.

Le prud'homme sort aussitôt pour voir la merveille,
45 entre dans la cour et appelle Estula son chien. Et le voleur qui ne se doutait de rien, répond :

— Mais oui, vraiment, je suis là.

Le prud'homme en est stupéfait :

— Par tous les saints et par toutes les saintes! Fils,
50 j'ai entendu bien des choses surprenantes : jamais je n'en entendis de pareilles. Va vite conter ces miracles au curé, ramène-le avec toi et dis-lui qu'il apporte l'étole et l'eau bénite.

Le jeune homme, au plus tôt qu'il peut, se hâte : il
55 a vite fait d'arriver au presbytère. Il ne demeura guère à l'entrée, vint au prêtre rapidement :

— Sire*, dit-il, venez à la maison entendre de grandes merveilles; jamais vous n'en entendîtes de pareilles. Prenez l'étole à votre cou.

60 Le prêtre lui dit :

— Tu es complètement fou de vouloir à cette heure me faire aller dehors! Je suis nu-pieds, je n'y pourrais aller.

Et l'autre de répondre aussitôt :

65 — Si, vous viendrez; je vous porterai.

Le prêtre a pris l'étole, et se hisse, sans plus de paroles, au cou du jeune homme qui se remet en route. Comme il voulait arriver plus vite, il coupe court par le sentier par où étaient descendus les maraudeurs en quête de
70 vivres.

Celui qui était en train de cueillir les choux vit une forme blanche — c'était le prêtre —; il crut que c'était son compagnon qui rapportait quelque butin; il lui demanda tout joyeux :

75 — Apportes-tu quelque chose?

— Par ma foi, oui, fait le jeune homme qui crut que c'était son père qui avait parlé.

— Vite, dit l'autre, jette-le bas; mon couteau est bien aiguisé, je l'ai fait repasser hier à la forge : on lui
80 aura bientôt coupé le cou[3].

Quand le curé l'entendit, il crut qu'on l'avait trahi : il sauta à terre et s'enfuit, tout éperdu. Mais son surplis s'accrocha à un pieu et y resta, car le prêtre n'osa pas

3. Cf. la méprise racontée par P.-L. Courier (*Lettres écrites de France et d'Italie*, 1er novembre 1807).

s'arrêter pour le décrocher. Celui qui avait cueilli les
85 choux ne fut pas moins ébahi que celui qui, à cause de
lui, s'enfuyait : il ne savait de quoi il retournait. Toute-
fois il alla prendre la chose blanche qu'il voyait sus-
pendue au pieu : il s'aperçoit que c'est un surplis.

A ce moment, son frère sortit du bercail avec un
90 mouton ; il appela son compagnon qui avait son sac
plein de choux : tous deux avaient les épaules bien
chargées. Ils ne firent pas plus long conte : de compagnie,
ils reprennent le chemin de leur maison qui était proche.

Alors, il a montré son butin, celui qui avait gagné le
95 surplis : ils ont plaisanté et ri de bon cœur, car le rire
leur était rendu qui auparavant leur était interdit.

En peu de temps Dieu fait de l'ouvrage : tel rit le
matin qui, le soir, pleure et tel est, le soir, courroucé,
qui, le matin, est en joie et en liesse⁴.

4. Allégresse.

1. Faites le plan de ce fabliau en distinguant un prologue, plusieurs
épisodes (donnez un titre à chacun d'eux), la moralité, en montrant
comment chaque épisode découle naturellement et nécessairement
du précédent et renouvelle l'intérêt par l'arrivée ou le retour d'un
ou plusieurs personnages.
2. Quels traits du prologue visent à gagner la sympathie du lecteur,
ou à piquer sa curiosité ?
3. Quels détails fournissent le décor, l'éclairage ?
4. Quels mots contribuent à donner à tout le récit le rythme rapide
de certains films comiques ?
5. Où voit-on la sottise et la crédulité du père et du fils ? la naïveté
du prêtre ? l'audace tranquille des deux frères ?
6. Quel est le point de départ de toute cette aventure comique ?
Quels sont les quiproquos ? Quel effet produit leur cascade ?
— Qu'y a-t-il de comique dans la situation, dans les gestes et les
attitudes ? — De quelles oppositions encore naît le comique ?

****

De Brunain et de Blérain[1]

[Ni nom d'auteur ni date.]

C'est l'histoire d'un vilain* et de sa femme que je raconte. Le jour de la fête de Notre-Dame, ils allèrent prier en l'église. Le prêtre, avant l'office, vint prononcer son prône et dit qu'il faisait bon donner au nom de Dieu,
5 si on était raisonnable; que Dieu au double le rendait à qui donnait de bon cœur.

— Écoute, dit le vilain, belle* amie*, la promesse que nous a faite notre prêtre : à qui donne, au nom de Dieu, de bon cœur, Dieu multiplie ce qu'il a donné; nous ne
10 pouvons mieux employer notre vache, si bon te semble, qu'en la donnant au nom de Dieu au prêtre. D'ailleurs elle donne peu de lait.

— Sire*, je veux bien qu'il l'ait, dit la dame, de telle façon.
15 Aussitôt ils s'en viennent à leur maison sans s'entretenir plus longtemps. Le vilain entre dans l'étable, prend sa vache par la longe, va l'offrir au doyen. Savant était le prêtre et avisé.

— Beau* sire, fait le vilain, les mains jointes, pour
20 l'amour de Dieu je vous donne Blérain.

Il lui a mis la longe au poing, jure qu'il n'a plus de biens.

— Ami, tu as agi en homme sage, dit le prêtre Dom* Constans qui, tout le temps, n'aspire qu'à recevoir.
25 Retire-toi, tu as bien rempli ta mission. Puissent-ils tous être aussi sages, mes paroissiens, que vous l'êtes, j'aurais ainsi quantité de bêtes.

Le vilain* s'éloigne du prêtre. Le prêtre commanda sur-le-champ qu'on fasse, pour l'apprivoiser, lier Blérain
30 avec Brunain, sa propre vache, fort grande .Le clerc* mène Blérain en leur jardin; il trouve la vache, ce me semble. Il les attache toutes deux ensemble, puis il s'en retourne et les laisse. La vache du prêtre se baisse, parce qu'elle voulait paître. Blérain ne le veut endurer, mais
35 tire la longe si fort qu'elle entraîne Brunain hors du jardin. Elle l'a tant menée à travers les maisons, les chènevières et les prés qu'à sa demeure elle est revenue avec la vache du prêtre qui l'embarrassait fort à traîner. Le vilain regarde : il la voit, il en a grande joie dans son
40 cœur.

— Ha! dit le vilain, belle* amie*, vraiment Dieu est un bon payeur au double, car Blérain revient avec une autre, une grande vache brune; maintenant, nous en avons deux pour une : petite sera notre étable.

1. Noms des deux vaches dont il est question dans le fabliau. *Brunain la Brune.*

Pierpont Morgan Library

Achat d'une bête.

Dans une rue du village, l'affaire se conclut avec les marchands, dont on remarquera les riches manteaux garnis de fourrure (*Heures de la Vierge*).

45   Par cet exemple, ce fabliau montre que fou est celui
qui ne se soumet; celui-là est riche qui donne à Dieu,
non celui qui cache et enfouit. Nul ne peut faire fructifier
son bien sans grande chance, c'est la moindre des condi-
tions. Par grande chance le vilain eut deux vaches et le
50 prêtre aucune. Tel croit avancer qui recule.

___

1. Délimitez les 3 actes de cette comédie. — Quelle maxime de la
moralité pourrait lui servir de titre?
2. Quels propos ou reparties, dans les dialogues, révèlent la ruse
et la cupidité de Dom Constans? la crédulité, la naïveté du vilain
et de sa femme? Quelle expression, à la fin du fabliau, traduit avec
le plus de force la joie du paysan?
3. Qu'y a-t-il de comique dans la façon dont le vilain interprète la
parole du prêtre? dans celle dont ce dernier accueille le vilain?
dans la scène du retour des deux bêtes?
4. Quelles phrases du dialogue sont particulièrement vivantes?
5. Quels détails esquissent le décor rustique? — En quoi ce décor
fait-il partie du récit lui-même?

****

Le Prud'homme* qui sauva son compère[1]

[Anonyme, sans date.]

  Il advint à un pêcheur qui en mer allait un jour, qu'il
tendit son filet sur son bateau. Il regarda, et vit droit
devant lui un homme tout près de se noyer. Le pêcheur
était très brave et fort agile : il se dresse sur ses pieds,
5 saisit un crochet, le brandit et frappe l'homme en plein
visage de telle sorte qu'il le lui a planté dans l'œil. Sur
le bateau, il l'a tiré à soi. Il s'en retourna sans plus
attendre, cessa de tendre ses filets, à sa demeure le fit
porter, très bien servir et bien soigner, jusqu'à ce qu'il
10 fût tout à fait rétabli.
  Longtemps après, l'autre a réfléchi qu'il avait perdu
son œil et qu'il lui était advenu dommage : « Ce vilain*
m'a crevé l'œil et moi je ne lui ai fait nul tort; je m'en
irai porter plainte contre lui pour lui causer mal et
15 ennui. » Il s'en retourne, va se plaindre au Maire
qui fixe le jour de l'audience. Tous deux attendirent le
jour auquel ils vinrent devant la Cour.
  Celui qui avait perdu son œil déposa le premier,
comme de juste.

1. Du latin *compater*, parrain,
puis ami, camarade.

²⁰ — Seigneurs, dit-il, je porte plainte contre ce prud'homme* qui, l'autre jour, violemment, me frappa d'un crochet. Il m'a crevé l'œil, j'en ai dommage. Faites-moi justice, c'est tout ce que je demande.

L'autre répond sans plus attendre :

²⁵ — Seigneurs, je lui ai crevé l'œil, je ne puis le contester. Mais cela dit, je veux vous montrer comment cela arriva et si j'ai tort. Cet homme était en péril de mort, en la mer où il allait se noyer; je lui portai aide, et, je ne puis le nier, d'un crochet qui m'appartenait ³⁰ je le frappai. Mais tout cela, je le fis pour son bien : ainsi, je lui ai sauvé la vie. Je n'ai que faire de parler plus longtemps; pour l'amour de Dieu, faites-moi justice.

Les juges demeuraient tout perplexes, tous dans l'em-³⁵barras pour prononcer une sentence équitable, quand un fou qui se trouvait devant la Cour leur dit :

— Pourquoi êtes-vous hésitants? Le prud'homme qui parla le premier, qu'il soit remis dans la mer, là où l'autre l'a frappé au visage; s'il peut s'en tirer, l'autre ⁴⁰ paiera amende pour son œil; c'est droit jugement, ce me semble.

Alors tous s'écrient ensemble :

— Tu as bien parlé; on ne cassera pas ton jugement.

La sentence fut alors prononcée : quand le compère ⁴⁵ entendit qu'il serait remis en la mer où il se trouvait, où il avait souffert du froid et des vagues, il n'y serait rentré pour rien au monde.

Il retira sa plainte contre le prud'homme et fut blâmé par bien des gens.

⁵⁰ C'est pourquoi je vous dis, tout bonnement, que c'est perdre son temps que d'obliger un félon*. Sauvez de la potence un larron, quand il a accompli un méfait, jamais il ne vous aimera... Jamais méchant ne saura gré. Un méchant, si un prud'homme se montre bon envers lui, ⁵⁵ oublie tout; cela n'est rien pour lui. Au contraire, il sera volontiers prêt à lui causer mal et ennui, s'il venait à avoir le dessus sur lui.

Texte original [extraits.] Vers 19 à 57.

Cist[1] vilains m'a mon ueil[2] crevé
²⁰ Et ge ne l'ai de riens grevé[3];
Ge m'en irai clamer[4] de lui
Por faire lui[5] mal et enui.
Torne si[6] se claime[7] au Major[8],
Et cil[9] lor met terme[10] a un jor.
²⁵ Endui[11] atendirent le ior

1. Ce. Pronom démonstratif, cas sujet singulier. **2.** Œil. **3.** Affligé. **4.** Porter plainte contre. **5.** Pour lui lfaire. **6.** Et. **7.** Porte plainte. **8.** Maire (latin *major*). **9.** Celui-ci, Pronom démonstratif, cas sujet masculin. **10.** Fixe une audience, littéralement *une date*. **11.** Tous les deux.

Tant que ils vinrent a la Cort,
Cil qui son hueil avoit perdu
Conta[12] avant, que[13] raison fu :
« Seignor[14] », fait-il, « ge sui plaintis[15]
[30] De cest[16] preudome[17] qui, tierz dis[18],
Me feri[19] d'un croq par ostrage;
L'ueil me creva; s'en ai domaige;
Droit m'en faites; plus[20] ne demant;
Ne sai ge que contasse avant[21]. »
[35] Cil lor respont sanz plus atendre :
« Seignor, ce[22] ne puis ge deffendre[23]
Que ne li aie crevé l'ueil :
Mais en après mostrer[24] vos vueil
Coment ce fu, se[25] ge ai tort.
[40] Cist[26] hom[27] fu en perir de mort
En la mer on devait noier[28].
Ge li aidai; nel[29] quier noier[30],
D'un croq le feri, qui ert[31] mien,
Mais tot ce fis ge[32] por son bien;
[45] Ilueques[33] li[34] sauvai la vie.
Avant ne sai que ge vos die[35],
Droit[36] me faites, por amor Dé[37]. »
Cil[38] s'esturent[39] puit esgaré[40]
Ensamble pour jugier le droit,
[50] Qant un sot qu'an la Cort avoit[41]
Lor a dit : « Qu'alez vos doutant ?
Cil preudon qui conta[42] avant
Soit arrières[43] en la mer mis,
La ou cil le feri el[44] vis;
[55] Que, se[45] il s'en puet eschaper
Cil li doit son ueil amender[46],
C'est droiz jugemenz[47], ce me samble. »

12. Parla. 13. Ce qui. 14. Cas sujet pluriel. 15. Plaignant. 16. Ce. Pronom démonstratif, cas régime direct singulier. 17. Honnête homme. 18. Le troisième jour (cf. un tiers), l'autre jour. (Dis, du latin dies, jour. Comparer : lundi). 19. Frappa, de férir (du latin ferire). Survivances : sans coup férir (sans frapper un seul coup), être féru de (participe passé). 20. Davantage. 21. Je ne sais ce que je pourrais ajouter. 22. Cela. 23. Nier, contester. 24. Montrer. 25. Si. 26. Pronom démonstratif, cas sujet singulier. 27. Homme. Cas sujet singulier (latin homo). 28. Se noyer. 29. Forme contractée : ne le. 30. Je ne veux pas le nier (espagnol quiero, je veux). 31. Était (latin erat). 32. Je fis tout cela. 33. A cette occasion. Noter le s adverbial. 34. Lui. Pronom personnel, cas régime indirect, 3ᵉ personne masculin. 35. Je ne sais que vous dire. Subjonctif présent, 1ʳᵉ personne. 36. Justice. 37. Pour l'amour de Dieu. Dé, cas régime employé sans préposition, comme complément de nom, lorsque ce complément représente une personne. Survivances : l'Hôtel-Dieu; l'hôtel de Dieu; la Fête-Dieu; la Fête de Dieu. 38. Ceux-ci. Cas sujet pluriel du pronom démonstratif. 39. Restèrent. 40. Cas sujet pluriel. 41. Qu'il y avait. 42. Parla. 43. Noter le s adverbial. 44. Contraction de en el. 45. Si. 46. Verser une amende pour son œil. 47. Droit jugement. Cas sujet singulier. z = ts.

1. Combien de parties le récit comprend-il ? Quelle différence y a-t-il entre la première et les suivantes ?
2. Dans quels passages le récit est-il particulièrement rapide, alerte ?
3. Qui, du pêcheur ou de celui qu'il a sauvé, vous paraît avoir raison ? — Pourquoi, dans cette affaire, était-il difficile de prononcer un jugement ? Quelle différence y a-t-il entre le droit strict et l'équité naturelle ? Quelle sentence était exigée par le droit ? quelle autre par l'équité ?
4. Celle du fou était-elle attendue ? — Est-elle absurde ? Par quoi est-elle inspirée ? — En quoi est-elle comique ?
5. Quels mots appartiennent au vocabulaire juridique ? Quel est leur sens ?

****

Du Vilain* qui conquit le Paradis par plaid*

[Ni nom d'auteur ni date.]

Nous trouvons en écriture une merveilleuse aventure qui jadis advint à un vilain. Il mourut un vendredi matin. Telle aventure lui advint qu'ange ni diable ne se présentèrent à cette heure qu'il fut mort et que l'âme
5 lui partit du corps. Il ne trouve personne qui l'interroge ou lui donne un ordre. Sachez qu'elle fut très heureuse, l'âme qui fut très peureuse. Elle regarde à droite vers le ciel et vit l'archange saint Michel qui portait une âme à grande joie. Après l'ange le vilain tint sa voie;
10 il suivit si bien l'ange, ce m'est avis, qu'il entra au Paradis.

Saint Pierre qui gardait la porte reçut l'âme que l'ange porte et quand il eut reçu l'âme, vers la porte il s'en retourna. Il trouva l'âme qui était seule, demanda
15 qui la conduisait :

— Ici dedans, nul n'est hébergé, s'il ne l'est par jugement; surtout, par saint Alain, nous n'avons cure de vilain, car vilain ne vient en ce lieu. Plus vilain que vous ne peut être!

20 — Çà, dit l'âme, beau* sire* Pierre, toujours vous fûtes plus dur que pierre. Fou fut Dieu, par sainte patenôtre*, quand de vous il fit son apôtre; car il y aura peu d'honneur pour qui renia Notre-Seigneur. Très petite fut votre foi quand vous le reniâtes trois fois.
25 Cependant vous êtes dans sa compagnie, le Paradis ne vous convient guère. Sortez donc, et vite, déloyal, car je suis prud'homme* et loyal, je dois bien y être, au Paradis, par droit compte.

Saint Pierre eut étrange honte. Il s'en retourna le
30 pas léger. Il a rencontré saint Thomas : il lui conte tout à droiture, toute sa mésaventure et sa contrariété et son ennui. Saint Thomas dit :

— J'irai à lui; il n'y restera, qu'à Dieu ne plaise! Il vient en la place.

35 — Vilain, lui dit l'apôtre, ce manoir* est tout entier nôtre. Il nous est réservé ainsi qu'aux martyrs et aux confesseurs de la foi. Où sont tes bonnes actions pour que tu croies pouvoir rester ici? Tu n'y peux guère demeurer, car c'est le séjour des loyaux.

40 — Thomas, Thomas, tu es trop léger de répondre comme un légiste. N'est-ce donc pas vous qui dites aux apôtres, quand ils eurent vu Dieu après la résurrection, que vous ne le croiriez si vous ne sentiez ses plaies?

Bibliothèque Nationale

Les âmes des élus à la porte du ciel.

Enluminure de l'*Apocalypse* de Saint-Sever sur Adour,
XIᵉ siècle.
La disposition reste d'inspiration romane. Dans la partie
supérieure, les quatre Évangélistes, avec les anges, en-
tourent l'Agneau pascal.

Et vous en fîtes serment, je le sais bien. Vous fûtes fou
⁴⁵ et mécréant.

Saint Thomas renonça alors à tancer le vilain; il
baissa le col. Puis il s'en est venu vers saint Paul : il
lui a conté son malheur. Saint Paul dit :

— J'irai, par mon chef*, savoir s'il voudra répondre.
⁵⁰ L'âme n'eut pas peur de fondre. Par le Paradis, elle se
prélasse!

— Ame, fait-il, qui te conduit? Où as-tu fait la bonne
action par quoi la porte se fût ouverte? Va-t'en de
Paradis, vilain faux!

⁵⁵ — Qu'est-ce, dit-il, dom Paul le chauve, êtes-vous
si pétulant, vous qui fûtes horrible tyran? Il n'en sera
jamais d'aussi cruel. Saint Étienne que vous fîtes lapider
le paya bien. Je sais raconter votre vie : par vous furent
tués maints prud'hommes*... Croyez-vous que je ne
⁶⁰ vous connaisse?

Saint Paul en eut très grande angoisse. Il s'en est vite
retourné sur ses pas et a rencontré saint Thomas qui
avec saint Pierre se consulte. Il lui a conté à l'oreille
l'histoire du vilain qui l'a maté :

⁶⁵ — Contre moi il a conquis le Paradis et je le lui
octroie.

A Dieu, ils vont en appeler tous trois de la sentence.
Saint Pierre tout bonnement lui conte l'histoire du
vilain qui lui a fait injure :

⁷⁰ — Ma parole! il nous a confondus; moi-même je
suis si confus que jamais je n'en parlerai.

Notre-Seigneur dit :

— J'irai, car je veux ouïr cette nouvelle.

A l'âme il vient. Il l'appelle, lui demande comment il
⁷⁵ lui advint d'entrer au Paradis sans permission.

— Ici jamais une âme n'est entrée — âme
d'homme ou de femme — sans permission; mes apôtres,
tu les as blâmés et avilis et calomniés... Et tu crois
pouvoir rester ici!

⁸⁰ — Sire*, aussi bien qu'eux je dois ici rester, si je
juge sainement, moi qui jamais ne vous reniai ni ne
refusai de reconnaître votre corps; par moi personne
jamais ne mourut. Mais tout cela, ils le firent jadis et
pourtant ils sont en Paradis. Tant que mon corps vécut
⁸⁵ au monde, il mena une vie nette et propre; aux pauvres,
je donnai de mon pain; je les hébergeai soir et matin;
je les ai réchauffés à mon feu; jusqu'à la mort, je les
ai gardés et je les portai à sainte Église; ni de braie*
ni de chemise je ne les laissai manquer; et je fus confessé
⁹⁰ vraiment et j'ai reçu ton corps dignement : qui ainsi
meurt, on dit au sermon que Dieu lui pardonne ses

péchés. Vous savez bien si j'ai dit vrai. Céans* j'entrai
sans contredit. Quand j'y suis, pourquoi m'en irais-je ?
Je contredirais votre parole, car vous avez sans faute
95 octroyé que qui céans entre ne s'en aille. Donc vous
ne mentirez pas pour moi.

— Vilain, dit Dieu, je te l'octroie. Tu as si bien plaidé
ton Paradis, que par plaid tu l'as gagné. Tu as été à
bonne école, tu sais bien argumenter, bien pousser avant
100 ta parole.

Le vilain dit en son proverbe : « Mieux vaut ruse que
ne fait force. »

Texte original [extraits.] Vers 1 à 40, 115 à 136.

Nos trovomes en escriture
Une merveilleuse aventure
Qui jadis avint[1] un vilain.
Mors[2] fu[3] un venredi main[4] :
5 Tel aventure li[5] avint
Qu'angles ne deables[6] n'i vint[7],
A cele[8] ore[9] que il fu morz[10]
Et l'ame li parti du cors ;
Ne troeve qui riens[11] li demant
10 Ne nule chose li coumant[12].
Sachiez[13] que mout[14] fu eüreuse[15]
L'ame, qui mout fu pooreuse[16].
Garda à destre[17] vers le ciel,
E vit l'archangle seint Michiel,
15 Qui portoit une ame à grand[18] joie
Enprès l'angle tint cil[19] sa voie.
Tant sivi[20] l'angle, ce m'est vis[21],
Que il entra en paradis.
Seintz Pierres[22], qui gardait la porte,
20 Reçut l'ame que l'angle porte,
Et quant l'ame receüe a,
Vers la porte s'en retorna.
L'ame[23] trouva qui seule estoit
Demanda qui la conduisoit[24] :
25 « Çaienz[25] n'a nus[26] herbergement[27],
Si il ne l'a par jugement :
Ensorquetot[28], par seint Alain,
Nous n'avons cure[29] de vilain,
Quar vilains ne vient en cest estre[30].
30 Plus vilains[31] de[32] vos n'i puet estre !
— Çà, dit l'ame, beau sire Pierre,
Toz jors fustes plus durs que pierre.

1. Passé simple du verbe *avenir*, arriver. Graphie régulière (nous disons encore : non avenu). Le *d*, dû à une restauration étymologique du XVᵉ siècle, ne se prononce pas encore au XVIIᵉ. 2. Cas sujet singulier. 3. Passé simple de *estre*, être (latin *fuit*). Une dentale à la fin d'un mot tombe. Elle fut rétablie orthographiquement au XVᵉ siècle, *valut*, *but*, sauf dans les formes en *a*, *tomba*. Cas régime singulier. 4. Nom masculin : matin. Cas régime singulier. 5. Pronom personnel de la 3ᵉ personne, cas régime indirect. 6. Ange ni diable, cas sujet singulier. 7. Accord logique, l'un des deux sujets coordonnés par *ni* excluant l'autre. 8. Cette, cas régime singulier. 9. Heure (latin *hora*). Ce sens a survécu dans *encore* et dans *or* (maintenant) : La Fontaine, *Fables*, III, 5, v. 27. 10. L's de la désinence est remplacé par *z* (prononcez *ts*). 11. Quelque chose. Cas régime singulier (du latin *rem*, accusatif de *res* = la chose) avec *s* analogique. 12. Lui commande. 13. Du verbe *savoir* ; sachez. 14. Très (latin *multa*. Accusatif pluriel neutre ; valeur adverbiale). 15. Heureuse. De *eur*, bonheur (du latin *augurium* = augure. D'où bon eür, mal eür. La présence de l'*h* s'explique par une fausse étymologie qui faisait venir le mot de *hora*, *heure*). 16. Peureuse. De *poor* ou *paor* (du latin *pavorem*, peur). 17. A droite (latin *dexteram*). 18. Grande. Les adjectifs dérivant de la troisième déclinaison n'ont qu'une seule forme pour le masculin et le féminin. Ils ont pris un *e* final par analogie avec le type *bon*, *bone*. 19. Celui-ci. Cas sujet singulier. La Bruyère déplore la disparition de ce mot condamné par Malherbe : « *Cil* a été, dans ses beaux jours, le plus joli mot de la langue française... » (*Caractères*, ch. XIV).

Fous fu, par seinte patenostre,
Dieus[33], quant de vos list son aposte;
35 Que[34] petit i aura d'onnor[35],
Quant renoia[36] nostre Seignor[37];
Mout fu petite vostre foiz,
Quant le renoiastes trois foiz;
Si[38] estes de sa compagnie,
40 Paradis ne vos affiert[39] mie[40].
. . . .
115 — Sire[41], ainsi bien i doi[42] menoir[43]
Con il[44], se[45] font jugement ai,
Qui onques[46] ne vos renoiai,
Ne[47] ne mescreï vostre cors,
Ne par moi ne fu onques mors;
120 Mais tout ce[48] firent-il[49] jadis,
Et si[50] sont or[51] en paradis,
Tant con mes[52] corps vesqui[53] el[54] monde,
Neste vie[55] mena et monde[56];
As[57] povres donai de mon pain;
125 Ses[58] herbergeai soir et main,
Ses ai à mon feu eschaufez
Dusqu'à[59] la mort les ai gardez,
Et les portai à seinte yglise;
Ne de braie* ne de chemise
130 Ne lor[60] laissai soffrete[61] avoir,
Ne sai or se[62] ge fis savoir[63]
Et si[64] fui confès[65] vraiement
Et reçui[66] ton cors dignement :
Qui ainsi muert[67] l'en[68] nos sermone[69]
135 Que Dieu ses pechiez li[70] pardonne;
Vos savez bien se[71] g'ai voir[72] dit.

---

20. Suivit. 21. Avis. 22. Cas sujet singulier. 23. Complément d'objet direct. 24. Prononcer : *ouè*. 25. Céans. 26. Nul. Pronom indéfini, cas sujet singulier (latin *nullus*). 27. Logis, séjour. *Héberger* a parfois encore le sens de séjourner : « ...la caille et le rossignol arrivent avec des brises qui *hébergent* dans les golfes de la péninsule armoricaine. » (Chateaubriand, *Mémoires d'Outre-Tombe*, première partie.) Noter l'effacement de *r* devant la consonne, par dissimilation. 28. Surtout. 29. Nous n'avons souci de. 30. Maison (latin *extera*, s.-e. *pars* : le seuil ; par extension : la maison). 31. Cas sujet singulier. 32. Que, après un comparatif. Nous disons encore : plus d'un. 33. Dieu, cas sujet singulier. Lire en une seule émission de voix (synérèse). 34. Car. 35. Honneur. 36. Renia. 37. Cas régime singulier de *sire*. 38. Pourtant. 39. Convient (de l'infinitif *afferir*). 40. Pas. Le mot signifie *miette*, exprime une très petite quantité comme les mots *point*, *pas*, *goutte*. 41. Cas sujet singulier (du latin vulgaire *seior*, forme familière de *senior*). Usité surtout dans les apostrophes. 42. Absence de *s* à la première personne de l'indicatif présent, conformément à l'étymologie. 43. Rester (latin *manere*). 44. Ils. Cas sujet pluriel masculin. 45. Si. 46. Jamais (latin *unquam*, quelquefois). Noter le *s* adverbial. 47. Ni. 48. Cas régime direct, forme neutre du pronom démonstratif : cela. Comparer les expressions : ce dit-on, sur ce, ce me semble, ce faisant. 49. Ils. 50. Pourtant. 51. A présent. 52. Mon. 53. Vécut. 54. Au. Article contracté : en el. 55. Complément d'objet direct. 56. Propre (latin *munda*). Comparer *immonde*, qui seul a survécu (latin *immunda*). 57. Aux. Forme contractée de l'article : à les. 58. Si les : *et les*. 59. Jusqu'à (latin populaire *deusqua*). 60. Leur. 61. Manque. 62. Si. 63. Chose sensée. 64. Aussi. 65. Confessé. 66. Je reçus. 67. Meurt. 68. L'on. 69. Dire au sermon, prêcher. 70. Lui. Pronom personnel, cas régime indirect. 71. Si. 72. Vrai (latin *vera*).

---

1. Quels Actes peut-on distinguer dans cette comédie ? Quel titre convient à chacun d'eux ? — Quelle progression le conteur observe-t-il dans le choix des personnages qui accueillent successivement le vilain ?

2. Où se manifeste la désinvolture du vilain ? où sa naïveté ? — Quels sont les traits de bon sens, les traits d'esprit dans ses répliques aux saints ? — Quels sont ses arguments dans son plaidoyer devant Notre-Seigneur ? Dans quel ordre les présente-t-il ? — Dans quelle mesure doit-il sa victoire à la *ruse* (voir le proverbe qu'il cite en conclusion) ? Quelles qualités y ont encore contribué ?

3. Qu'y a-t-il de *merveilleux* (voir la première phrase) dans cette aventure ? — Quels détails précis lui donnent en même temps le caractère d'une aventure tout ordinaire ?

****

Le Dit* des perdrix[1]

[Sans date ni nom d'auteur.]

Puisque j'ai l'habitude de vous conter des contes, je veux vous dire aujourd'hui, au lieu de fable*, une aventure qui arriva vraiment à certain vilain* qui, au bas de sa haie, prit par hasard deux perdrix. Il mit tous ses
5 soins à les faire préparer. Sa femme sut fort bien les arranger : elle fit du feu, tourna la broche. Le vilain, cependant, s'en fut inviter le curé. Mais il tardait à revenir et les perdrix se trouvèrent cuites.

La dame, à la hâte, les retire de la broche, prélève
10 la peau cuite et s'en régale, car elle était très gourmande. Alors, elle court attaquer l'une des perdrix : elle en mangea les deux ailes. Puis elle va voir dans la rue si son mari ne rentre pas. Et, comme elle ne voit rien venir, elle s'en retourne chez elle où elle ne fut pas
15 longue à dévorer le reste de la perdrix.

Elle se mit alors à réfléchir : elle devrait bien manger la seconde. Si on lui demande plus tard ce que les perdrix sont devenues, elle saura très bien se tirer d'affaire : « Les deux chats sont venus, dira-t-elle, ils me les ont
20 arrachées des mains et ont emporté chacun la sienne. »

Elle retourne encore dans la rue, pour voir si son mari ne revient pas. Personne à l'horizon. Sa langue alors se met à frémir de convoitise : la dame sent qu'elle va devenir enragée, si elle ne mange un tout petit
25 morceau de la seconde perdrix! Elle enlève le cou, le cou exquis, elle le savoure avec délices :

— Hélas! dit-elle, que ferai-je maintenant? Si je mange le tout, que dirai-je pour m'excuser? Mais comment laisser le reste? J'en ai par trop grande envie!
30 Advienne que pourra, il me faut la manger toute!

Elle fit si bien qu'elle la mangea toute, en effet.

Le vilain ne tarda guère à rentrer. A la porte du logis, il s'écrie bien fort :

— Dame*, dame, les perdrix sont-elles cuites?
35 — Hélas! sire*, tout est au plus mal, le chat les a mangées!

Le vilain passe la porte en courant, il se jette sur sa femme comme un enragé : un peu plus, il lui eût arraché les yeux. Alors, elle se met à crier :

1. On retrouve la matière de ce fabliau dans les contes indiens, bretons, gascons (voir J. Bédier : Les Fabliaux).

40 — C'est pour rire! C'est pour rire! Fuyez, démon! Je les ai couvertes pour les tenir chaudes.

— Je vous aurais chanté mauvaises louanges, dit-il, par la foi que je dois à saint Ladre[2]! Allons, mon bon hanap* de madre*, ma plus belle et plus blanche nappe!
45 Sous cette treille, en ce petit pré!

— Mais vous, prenez votre couteau : affilez-le, il en a grand besoin. Allez donc aiguiser son tranchant contre la pierre de la cour.

Le vilain quitte son habit et se met à courir, le couteau
50 tout nu à la main. Le chapelain* arrivait alors qui s'en venait pour le repas. Sans retard, il aborde la dame* très doucement. Et elle lui dit simplement :

— Fuyez, messire*, fuyez! Je ne veux pas que vous soyez honni et maltraité! Mon mari est là dehors qui
55 aiguise son grand couteau. Il dit qu'il vous tranchera les oreilles, s'il peut vous attraper!

— De Dieu vous puisse-t-il souvenir, dit le prêtre. Que me racontez-vous? Nous devons manger ensemble deux perdrix que votre mari a prises ce matin.
60 — Par saint Martin, reprit-elle, il n'y a ici ni perdrix, ni oiseau, mais regardez-le donc là-bas, voyez comme il aiguise son couteau!

— Oui, je le vois, par mon chapeau, je crois bien que vous dites vrai!
65 Et, sans demeurer davantage, il s'enfuit à grande allure.

Alors, la dame se mit à crier :

— Sire* Gombaud! Sire Gombaud! Venez vite!

— Qu'as-tu? dit-il, que Dieu te sauve!
70 — Ce que j'ai? Vous le saurez assez tôt! Mais si vous ne courez bien vite, vous en aurez grand dommage! Voilà le curé qui se sauve avec vos perdrix, par la foi que je vous dois!

Le prud'homme* fut tout étonné; et, le couteau à la
75 main, il se met à courir après le chapelain qui fuyait. En l'apercevant, il s'écrie :

— Vous ne les emporterez pas ainsi!

Puis, il reprend à grande haleine :

— Vous me les emportez toutes chaudes! Vous me
80 les laisserez bien, si je vous rattrape! Ce serait être mauvais compagnon que de les manger sans moi!

Le prêtre regarde derrière soi et voit accourir le vilain. Et le voyant ainsi tout près, couteau en main, il se croit mort et il se met à courir de plus belle. Et le vilain de
85 courir toujours après lui, dans l'espoir de rattraper ses perdrix! Mais le prêtre, qui avait de l'avance, s'est enfermé dans sa maison.

2. *Ladre* signifie lépreux, du latin *Lazarus*, nom du pauvre couvert d'ulcères dans la parabole de saint Luc, XVI, 19. Le Moyen âge a fait un saint du personnage de la parabole.

Au logis le vilain s'en retourne et demande à sa femme:

— Dame*, dis-moi donc comment tu as perdu les
[90] perdrix.

— Le prêtre vint, dit-elle, et dès qu'il me vit, il me
pria de lui montrer les perdrix. Il les regarderait, disait-il,
très volontiers. Je le menai tout droit au lieu où je les
tenais couvertes. Il eut vite fait d'ouvrir la main, de les
[95] prendre et de se sauver avec. Je ne l'ai pas poursuivi,
mais je vous ai tout de suite appelé.

— C'est peut-être vrai, dit le vilain.

Ainsi furent trompés le prêtre et Gombaud qui prit
les perdrix.

[100] Par cet exemple, ce fabliau vous montre que la femme
est faite pour tromper : avec elle le mensonge devient
bientôt vérité, et la vérité mensonge. Celui qui a inventé
ce fabliau et ce dit* ne veut pas l'allonger démesurément.
Ici finit le dit des perdrix.

---

1. Quelles sont les scènes successives de cette gentille comédie?
Quel titre pourrait-on donner à chacune d'elles?
2. Quels défauts y sont moqués? En quoi ces différents défauts
commandent-ils l'action?
3. Où se manifestent la bonne humeur du conteur, sa gaieté malicieuse, l'absence d'âpreté dans sa critique des défauts féminins?
4. Comment la dame est-elle entraînée peu à peu à manger les
deux perdrix en entier? Le conte amuserait-il autant si elle les
dévorait tout de suite sans hésiter et sans faire de réflexions?
— Qu'y a-t-il de comique encore dans la scène du chapelain jusqu'à
sa fuite, puis dans celle de la poursuite? — Quelles mimiques
sont bien observées et font rire? — Quelles répétitions créent le
comique? — De quelles scènes pourrait-on tirer un dessin animé?
Pourquoi?
5. Le vilain est-il défiant? Quel mot permet de douter qu'il ait été
complètement dupe?

****

Les semailles.

Pierpont Morgan Library

Les champs sont désormais clos, les chevaux ont remplacé les bœufs. Tandis que les corbeaux essaient de voler les graines, à gauche, sous les arbres, c'est la glandée (*Heures de la Vierge*).

Le Vilain* Mire*₁

[Anonyme et sans date.]

Il était une fois un vilain fort riche, mais très avare et très chiche. Il avait toujours en main sa charrue, attelée d'une jument et d'un roussin*. Il avait en abondance et viande et pain et vin. Mais parce qu'il n'était
⁵ pas marié, ses amis le blâmaient fort. Il répondait qu'il se marierait volontiers, s'il trouvait une bonne épouse. Et ses amis disent qu'ils iront en quérir une, la meilleure qu'ils puissent trouver.

Dans le même pays vivait un chevalier : c'était un
¹⁰ vieil homme veuf et qui avait une fille, très belle et très courtoise* damoiselle. Parce que l'argent lui manquait, il ne trouvait personne qui demandât sa fille... Il l'eût pourtant volontiers mariée, car elle avait largement l'âge de s'établir.

¹⁵ Les amis du vilain se rendirent auprès du chevalier et lui demandèrent sa fille pour le paysan, qui avait tant d'or et d'argent, de blé et de vêtements. Il consentit tout de suite au mariage. La jeune fille, qui était sage, n'osa contredire son père et elle épousa le vilain...

[Le vilain est un rustre qui mène durement sa femme.]

²⁰ Quand la table fut desservie, le vilain, de la paume de sa main qu'il avait grande et large, donna un tel soufflet à sa femme qu'on vit sur son visage la trace de ses doigts. Puis, l'ayant prise par les cheveux, le vilain, qui était fort brutal, la battit comme si elle l'avait
²⁵ mérité.

Ensuite il partit bien vite pour les champs, laissant sa femme en larmes :

— Hélas! dit-elle, que faire, quelle résolution prendre? Mon père m'a durement trahie, quand il
³⁰ m'a donnée à ce vilain. Étais-je près de mourir de faim? Certes, je fus folle quand je consentis à pareil mariage! Pourquoi ma mère est-elle morte?

Elle pleura jusqu'au coucher du soleil. Le vilain revint, il se jeta aux pieds de sa femme et la pria de lui
³⁵ faire merci.

— C'est l'Ennemi*, dit-il, qui m'a poussé. Je vous promets de ne plus vous frapper. Je suis courroucé et dolent de vous avoir battue.

Le brutal en dit tant que sa femme lui pardonna et
⁴⁰ lui servit le repas qu'elle avait préparé. Quand ils eurent bien dîné, ils s'en furent coucher en paix.

Mais le lendemain, le brutal maltraita encore sa

1. *Fabliau multiforme* (J.Bédier). On le retrouve dans toutes les littératures : orientale, basque, allemande. Prototype du *Médecin malgré lui* de Molière. Ce conte faisait partie des contes populaires recueillis et conservés par la tradition orale.

femme et peu s'en fallut qu'il ne la blessât. Puis il partit
labourer dans ses champs.

45 La dame* se mit à pleurer :

— Hélas! que faire, quelle résolution prendre? Mal
m'est advenu! Jamais mon mari n'a été battu. Il ne sait
pas ce que c'est que les coups! S'il le savait, il ne m'en
donnerait pas tant.

50 Tandis qu'elle menait grande désolation, voici venir
deux messagers du roi, chacun sur un beau palefroi*.
Ils piquent des deux vers la dame. Ils la saluent de par
le roi et lui demandent à manger, car ils en ont grand
besoin. Elle leur donne bien volontiers de quoi manger,
55 puis leur dit :

— D'où êtes-vous? Où allez-vous? Dites-moi ce que
vous cherchez.

L'un répondit :

— Dame*, par ma foi, nous sommes messagers du
60 roi. Il nous envoie quérir un mire*. Nous devons passer
en Angleterre.

— Et pourquoi faire?

— Damoiselle Aude, la fille du roi, est malade.
Depuis huit jours passés, elle ne peut boire ni manger,
65 à cause d'une arête de poisson qu'elle a dans le gosier.
Le roi est désespéré. S'il la perd, jamais plus il ne con-
naîtra la joie.

La dame répond :

— Vous n'irez pas aussi loin que vous croyez, car
70 mon mari est bon mire, je vous le jure. Il est plus fort
en médecine que ne le fut jamais Hippocrate[2].

— Le dites-vous, dame, par plaisanterie?

— Non, je n'ai cure de plaisanter. Mais il a un naturel
si bizarre qu'on ne tirera jamais rien de lui qu'à la
75 condition de le battre bien.

— On s'en chargera, dirent-ils. Où pourrons-nous le
trouver?

— Vous le rencontrerez aux champs. En sortant de
cette cour, suivez le ruisseau, au-delà d'une route
80 déserte : la première charrue, c'est la nôtre. Allez,
par saint Pierre l'apôtre, je vous le recommande.

Les autres éperonnent leurs chevaux et s'en vont
trouver le vilain. Ils le saluent de par le roi et lui disent
sans tarder :

85 — Venez vite parler au roi.

— Pourquoi faire? dit le vilain.

— A cause de la science dont vous êtes tout plein.
Il n'est meilleur mire que vous en cette terre. Nous
sommes venus de loin vous quérir.

90 Quand le vilain s'entend appeler mire, il entre en

2. Célèbre médecin grec qui
vécut au V* siècle avant Jésus-
Christ.

26

grande fureur et répond qu'il ne sait rien de rien.

— Qu'attendons-nous donc? dirent-ils, ne savons-nous pas qu'il faut d'abord le battre, avant qu'il dise ou fasse du bien?

95 Et l'un le frappa sur l'oreille, l'autre sur l'échine, d'un bâton qu'il avait grand et gros. Ils lui font une grande honte. Puis ils l'entraînent vers le roi. Il les suit à contre-cœur, la tête tournée vers les talons.

Le roi les rencontre :

100 — Avez-vous donc trouvé quelqu'un? dit-il.

— Oui, sire, répondirent-ils ensemble.

Le vilain tremblait de peur. Et l'un des messagers raconte d'abord au roi les défauts qu'avait le vilain; comment il était plein de méchanceté, et comment,

105 de quelque chose qu'on le priât, il ne faisait rien, à moins qu'on ne le battît bien.

Le roi dit :

— C'est un mauvais mire que celui-ci, jamais je n'en ai entendu parler. Puisque c'est ainsi, qu'on le batte

110 bien.

— Je suis tout prêt, dit un sergent*.

— Que je lui paie d'abord ses droits, dit le roi. Et il appela le vilain :

— Écoutez, maître*, je vais faire venir ma fille qui

115 a grand besoin d'être guérie.

Le vilain se mit à crier miséricorde :

— Sire, par le Dieu qui jamais ne mentit, je vous le dis, je ne sais rien de la médecine!

— Vraiment, dit le roi, voilà une nouvelle bien

120 étonnante!... Qu'on me le batte!...

Les sergents s'en acquittèrent fort volontiers. Quand le vilain sentit les coups, il se trouva bien fou :

— Grâce, cria-t-il, je vous la guérirai sans délai!

La jeune fille était dans la salle, toute blême et pâle.

125 Le vilain se demanda comment il pourrait bien la guérir; car il voyait qu'il fallait la guérir ou mourir. Alors, s'il veut la guérir et la sauver, il se dit qu'il faut faire quelque chose qui la fasse rire pour que l'arête sorte du gosier, car l'arête n'avait point pénétré dans le corps.

[Le vilain fait des contorsions, des grimaces bouffonnes et grotesques. La jeune fille éclate de rire, l'arête lui jaillit du gosier.]

130 Le vilain saisit l'arête et sort en courant de la chambre. Il court chez le roi et lui crie :

— Sire, votre fille est guérie, voici l'arête, Dieu merci!

Le roi en est tout réjoui. Il dit au vilain :

— Sachez bien que je vous aime plus qu'homme au

135 monde. Je vais vous faire don de beaux vêtements.

— Merci, sire, je n'en veux pas; je ne peux pas rester ici. Il me faut retourner chez moi.

— Non, reprit le roi, tu n'en feras rien, mais tu seras mon maître et mon ami.

140 — Merci, sire, par saint Germain! Je n'ai pas de pain chez moi; on devait charger au moulin, quand je partis hier matin.

Le roi appela deux serviteurs :

— Battez-le-moi, dit-il, il restera.

145 Et les sergents se jettent aussitôt sur lui et le bourrent de coups. Quand le vilain sent une volée de coups s'abattre sur ses bras, sur ses jambes, sur son dos, il se met à crier grâce :

— Je resterai, dit-il, laissez-moi en paix![3]

150 Le vilain demeure donc à la cour : on le tond, on le rase, on le revêt d'une robe* d'écarlate*. Il se sent pris au piège. Les malades du pays — plus de quatre-vingts, dit-on — viennent trouver le roi. Le roi appelle le vilain :

— Écoutez, maître, voyez ces gens. Guérissez-les-155 moi bien vite!

— Grâce, sire, dit le vilain, il y en a trop : je ne pourrai en venir à bout, je ne pourrai les guérir tous!

Le roi appela deux valets; chacun prit un bâton, car ils savaient bien pourquoi le roi les appelait. Le 160 vilain commence à trembler. Il se met à crier :

— Grâce! Grâce! je les guérirai sans délai!

Le vilain demande des bûches : on lui en apporte une quantité et l'on fait flamber un beau feu dans la salle : lui-même s'est occupé à le préparer. Il fait rassembler 165 là les malades, puis il dit au roi :

— Sortez, sire, avec tous ceux qui n'ont aucun mal.

Le roi sortit tout bonnement de la salle avec ses gens. Le vilain dit alors aux malades :

— Seigneurs*, par le Dieu qui me créa, écoutez-moi. 170 Vous choisirez le plus malade d'entre vous et je le brûlerai dans ce feu. Je prendrai ses cendres et tous ceux qui en auront goûté seront aussitôt guéris.

Les malades se regardent les uns les autres : mais il n'y eut bossu ni enflé qui, pour la Normandie tout 175 entière, eût avoué qu'il était le plus malade. Le vilain s'adresse au premier d'entre eux :

— Tu me parais bien faible. Tu es le plus atteint de tous, je crois.

— Miséricorde, sire! Je suis très bien portant. Je ne 180 me suis jamais senti mieux. Le mal que j'ai eu si longtemps vient de se passer. Je dis la vérité, soyez-en sûr!

— Va-t'en donc! Que viens-tu faire ici?

3. Ici commence un second conte greffé sur le premier.

L'autre eut vite fait de prendre la porte. Le roi, en le voyant sortir, lui demande :

185 — Es-tu guéri?

— Oui, sire, par la grâce de Dieu! Et plus sain qu'une pomme. Votre mire est bien savant homme!

Qu'ajouterai-je? Il n'y eut petit ni grand qui, pour rien au monde, consentit à se laisser mettre dans le feu.

190 Et tous s'en allèrent, les uns après les autres, se déclarant tous guéris. Quand le roi les vit, il en fut transporté de joie. Il dit au vilain :

— Je suis émerveillé, beau* maître*, de la rapidité

195 avec laquelle vous les avez guéris!

— Sire, je les ai charmés. Je possède un charme* qui vaut mieux que gingembre et séné[4].

— Eh bien! dit le roi, vous retournerez chez vous quand vous voudrez, et vous aurez, de mes deniers*,

200 palefrois* et bons destriers*. Quand je vous manderai, vous ferez selon mon bon plaisir. Et vous serez mon doux et cher ami, plus qu'aucun des habitants de mon palais. Ne soyez plus ébahi et ne vous faites plus outrager : c'est grande honte de vous frapper.

205 — Merci, sire, dit le vilain : je suis votre homme, soir et matin. Je le serai toute ma vie sans que le repentir m'en vienne.

Il prit congé du roi et revint tout joyeux chez lui. Jamais on ne vit plus riche manant*. Il ne retourna plus

210 à sa charrue et ne battit plus sa femme, mais l'aima et la chérit. Ainsi donc arriva la chose, tout comme je l'ai contée : en dépit du manque de science, sa ruse et sa femme firent du vilain un médecin.

4. *Gingembre* : plante aromatique. *Séné* : plante purgative.

---

1. Distinguez les scènes successives de cette comédie en donnant un titre à chacune d'elles. — Quelles sont ses deux intrigues?
2. Quels renseignements le prologue (le vilain avant son mariage, puis son mariage) nous apporte-t-il? — Quel hasard apporte à la femme le moyen de se venger? A quelle sorte de contes fait penser ce hasard? — Quels faits se produisent comme on pouvait s'y attendre? Quelle est la part de l'imprévu? Où le lecteur est-il intrigué? — En quoi tout s'arrange-t-il, à la satisfaction de tous les personnages?
3. Quel est le caractère de la femme? Réfléchit-elle longtemps avant de répondre aux messagers? En quoi sa vengeance est-elle habile et malicieuse?
4. A quoi voit-on que le vilain n'est point sot? Guérit-il réellement les malades? Comment se fait-il qu'il les renvoie contents?
5. Où est le comique de situation? Pourquoi la scène entre le roi et le vilain fait-elle rire? Quels sont les traits comiques de la scène des malades? — Où trouve-t-on du comique de gestes?

****

Une taverne au XIVᵉ siècle.

Enluminure très réaliste attribuée au Moine d'Hyères,
à Gênes (British Museum).

Les trois aveugles de Compiègne[1]

[Par Courtebarbe[1].]

Je vais vous conter un fabliau. On tient pour sage le ménestrel[2] qui s'ingénie à trouver de beaux dits* et de beaux contes qu'on récite devant les ducs et les comtes. Il est bon d'écouter des fabliaux : ils font oublier mainte
5 douleur et maint mal, maint souci et maint méfait. Courtebarbe a fait le fabliau que je vais vous conter et je crois bien qu'il lui en souvient encore.

Il advint que trois aveugles, partis de Compiègne, cheminaient de compagnie. Avec eux, pas un seul valet
10 pour les guider, les conduire ou leur montrer leur chemin. Chacun portait son hanap* de bois. Très pauvres étaient leurs vêtements : ils étaient vêtus misérablement. Ainsi, ils s'en allaient vers Senlis. Un clerc* s'en venait de Paris : fort habile à bien comme à
15 mal faire, possédant écuyer et cheval de somme, chevauchant un beau palefroi*, il arriva bientôt près des aveugles, car il allait à vive allure. Il vit donc que personne ne les conduisait. Et il pense qu'aucun d'eux n'y voit : « Comment pouvaient-ils avancer? »
20 — Que la goutte me torture le corps, dit-il, si je ne sais s'ils y voient goutte!

Les aveugles l'entendent venir. Le clerc errant, qui veut les tromper, s'avise de leur jouer un bon tour :
— Venez ici, fait-il, voici un besant* que je vous
25 donne pour vous trois.

— Dieu et la Sainte Croix vous le rendent! Un si beau cadeau!

Chacun pense que son compagnon l'a reçu.

Le clerc maintenant s'éloigne d'eux. Il descend de
30 cheval, prête l'oreille et entend ce que disent les aveugles et comment entre eux ils devisent. Le chef des trois dit :
— Il ne nous a pas éconduits, celui qui nous donna ce besant. Ce besant, c'est un beau cadeau! Savez-vous ce que nous ferons? Nous retournerons vers Compiègne.

1. Il existe plusieurs versions de ce conte qui se retrouve en plusieurs langues. L'auteur des *Repues franches* (xve siècle) a imité la seconde partie du conte. 2. A la différence du jongleur, le *ménestrel* ne passait pas de château en château, mais était attitré auprès d'un seigneur chez qui il vivait.

³⁵ Il y a beau temps que nous n'avons fait bombance.
C'est bien justice que chacun se donne un peu de plaisir.
Compiègne regorge de bonnes choses.

Comme il a sagement parlé, chacun des deux autres
répond :
⁴⁰   — Allons, repassons le pont!

Vers Compiègne ils s'en sont retournés : arrangés
comme ils étaient, tout contents, joyeux et gais. Le
clerc continue de les suivre de près. Il dit qu'il les suivra
jusqu'à ce qu'il sache le fin mot de l'histoire.

⁴⁵ Ils entrent dans la ville : ils prêtent l'oreille et écoutent
ce qu'on crie par les rues : « Par ici, bon vin frais et
nouveau, vin d'Auxerre, vin de Soissons! Pain et chair,
vin et poissons! Il fait bon ici dépenser son argent!
Ici on loge tout le monde, et tout le monde est content. »

⁵⁰ Ils s'en vont de ce côté sans hésiter, ils entrent dans la
taverne. Ils s'adressent à l'hôte :
    — Écoutez-nous, disent-ils, ne nous tenez pas pour
vils parce que nous sommes pauvrement vêtus. Nous
voulons être servis à part. Nous vous paierons mieux
⁵⁵ que de plus huppés : nous voulons être bien servis.

L'hôtelier croit qu'ils disent vrai, ces drôles-là.
Souvent de tels gens ont force deniers. Il s'empresse
auprès d'eux et les mène dans la salle du haut :
    — Seigneurs*, dit-il, une semaine entière vous
⁶⁰ pourriez mener ici bonne et joyeuse chère. En la ville,
il n'est bon morceau que je ne vous donne, si vous
voulez...
    — Sire*, disent-ils, c'est bien. Faites-nous servir vite
et bien.
⁶⁵   — Laissez-moi faire, dit le bourgeois.

Puis il s'en va. Il leur fait préparer un repas à cinq
services. Pain, chair, pâtés, chapons, vins (et des
meilleurs) : il fait donc apporter tout cela. Il a fait
flamber un bon feu. Les aveugles se sont assis à la table
⁷⁰ haute.

Le valet du clerc avait conduit ses chevaux à l'écurie
et était entré dans l'auberge. Le clerc, qui était fort bien
appris et bien vêtu et avec élégance, noblement festoie
avec l'hôte tant au déjeuner le matin qu'au souper le
⁷⁵ soir.

Les aveugles, dans la chambre haute, se régalaient
comme des chevaliers. Chacun menait grand bruit, l'un
à l'autre ils se versaient du vin.
    — Tiens! je te sers. S'il te plaît, sers-moi à ton tour.
⁸⁰ Voilà du vin de bonne vigne!

Soyez sûrs qu'ils ne s'ennuient pas. Ainsi jusqu'à
minuit, ils furent en joie et en tranquillité. On leur

Pierpont Morgan Library

L'abattage du porc.

Paysage d'hiver et représentation naïve de la montagne
(*Heures de la Vierge*).

Archives photographiques

Le mois de décembre : l'hallali.

La chasse est un des grands plaisirs de l'hiver, plaisir rude et dangereux. Au fond, le château de Vincennes *(Très Riches Heures du Duc de Berry).*

apprête des lits et ils vont se coucher jusqu'au lendemain qu'il fut belle heure.

85   A l'auberge demeure le clerc parce qu'il voulait savoir la fin de l'histoire.

L'hôte se leva de bon matin et son valet aussi. Puis ils firent les comptes, en viandes et en poisson. Le valet dit :

90   — En vérité, le pain, le vin, le pâté ont bien coûté plus de dix sous. Le clerc en a pour cinq sous.

— De son côté, je ne puis avoir d'ennui, dit l'hôte. Quant à eux, va là-haut et fais-moi payer.

Le valet, sans retard, monte chez les aveugles. Il dit
95 à chacun de s'habiller bien vite car son maître veut être payé :

— N'ayez crainte, dirent-ils, nous le paierons très bien. Savez-vous ce que nous lui devons?

— Oui, dit-il, dix sous.

100   — C'est pour rien!

Ils se lèvent, descendent. Le clerc, qui se chaussait devant son lit, a tout entendu.

Les trois aveugles disent à l'hôte :

— Sire, nous avons un besant. Rendez-nous le surplus
105 avant que nous fassions une nouvelle commande.

— Volontiers, répond l'hôte.

— Eh bien! dit l'un, que celui qui a le besant le lui baille*. Moi je n'ai rien.

— C'est donc Robert Barbefleurie[3]?

110   — Non, je ne l'ai pas. C'est vous qui l'avez, je le sais bien.

— Corbleu! je ne l'ai pas.

— Qui donc l'a?

— Toi!

115   — Non, toi!

— Payez, truands*, dit l'hôtelier, ou vous serez battus et mis en cachot puant. Mais vous ne partirez pas ainsi d'ici.

Et eux de s'écrier :

120   — Au nom de Dieu, grâce, sire, nous vous paierons bien!

Et ils recommencent leur querelle.

— Robert, fait l'un, donne donc le besant. Tu marchais devant, tu l'as reçu le premier.

125   — Mais non, c'est toi, qui marchais le dernier. Baille-le-lui, car moi je n'ai rien.

— Me voilà bien à point! dit l'hôte, car on se moque de moi!

Il va donner un grand soufflet à l'un des aveugles et
130 se fait apporter deux bâtons.

3. A la barbe blanche. Cf. le nom donné à Charlemagne dans *la Chanson de Roland* : l'empereur *à la barbe fleurie.*

Le clerc si richement vêtu, que l'histoire amusait fort, riait à gorge déployée et se pâmait d'aise. Quand il vit le tour que prenaient les événements, il s'approcha vivement de l'hôte, lui demanda ce qui se passait et ce
135 qu'il voulait de ces gens :

— Ils m'ont mangé et bu pour dix sous, répond-il, et maintenant ils se moquent de moi. Mais ils me le paieront : chacun dans son corps en aura honte et dommage!
140 — Eh bien! mettez tout cela sur mon compte, dit le clerc : je vous dois quinze sous. Il est mal de tourmenter les pauvres gens.

— Bien volontiers, répond l'hôte, vous êtes un clerc vaillant et loyal.
145 Et les aveugles s'en vont tout quittes.

Écoutez maintenant quel subterfuge inventa le clerc pour s'en tirer. On sonnait en ce moment la messe. Il vient à l'hôte :

— Mon hôte, dit-il, vous connaissez bien le curé de
150 votre paroisse? Ces quinze sous, s'il voulait bien vous les payer pour moi, vous lui feriez crédit?

— Je le connais à fond, répond le bourgeois, et, par saint Sylvestre, je lui ferais crédit, s'il voulait, de plus de trente livres!
155 — Dites donc à vos gens que je suis quitte, aussitôt qu'ils me verront revenir.

Et le clerc demande à son valet d'équiper son palefroi, de charger ses bagages. Que tout soit prêt à son retour!

Puis il dit à l'hôte de venir avec lui. Tous deux s'en
160 vont à l'église. Ils ont pénétré dans le chœur. Le clerc qui doit les quinze sous a pris son hôte par le doigt, il le fait asseoir près de lui :

— Je n'ai guère le loisir, lui dit-il, d'attendre que la messe soit chantée. Je veux vous faire tenir votre pro-
165 messe. Je vais dire au curé qu'il vous paie vos quinze sous, aussitôt après l'office.

— Tout à votre volonté, dit le bourgeois, qui se fie à lui.

Le prêtre avait revêtu ses vêtements sacerdotaux et
170 allait commencer sa messe quand le clerc l'aborda. Il sut bien se tirer d'affaire : il avait l'air d'un gentilhomme et n'avait pas vilain visage. Dans sa bourse, il prend douze deniers et les met dans la main du prêtre :

— Écoutez-moi, sire, dit-il, par saint Germain,
175 écoutez-moi un peu. Tous les clercs doivent être amis. C'est pourquoi je viens vous trouver. J'ai passé la nuit dans un hôtel, chez ce bourgeois qui est un brave

homme. Que notre doux Jésus-Christ le console, car il
est prud'homme* et sans malice. Mais une cruelle
180 maladie le prit hier soir dans la tête pendant que nous
menions tous deux joyeuse fête. Il est devenu complètement fou! Dieu merci, il a retrouvé son bon sens, mais
il souffre encore de la tête. Je vous prie donc de lui lire,
après la messe, un évangile sur la tête.
185 — Par saint Gille, dit le prêtre, je le ferai.

Puis il s'adresse à l'hôte :

— Oui, je le ferai dès que j'aurai dit ma messe. J'en
tiens quitte le clerc.

— Je ne demande pas mieux, répond le bourgeois.
190 — Sire prêtre, je vous recommande à Dieu, dit le
clerc.

— Adieu, beau* doux maître*.

Le prêtre va donc à l'autel. A haute voix il commence
à chanter sa messe. C'était jour de dimanche : l'église
195 s'emplissait de monde.

Le clerc qui était beau et aimable vint prendre congé
de son hôte, et le bourgeois, sans plus attendre, l'accom-
pagna jusqu'à l'hôtel. Le clerc monte à cheval, reprend
son chemin. Le bourgeois revient vite à l'église, impa-
200 tient de recevoir ses quinze sous. Il comptait fermement
les avoir. Dans le chœur, il attendit que la messe fût
chantée et que le prêtre eût enlevé ses vêtements d'office.

Alors, sans délai, le prêtre prend un évangéliaire et
une étole. Il appelle l'hôte :
205 — Sire Nicole, venez! Agenouillez-vous ici.

Le bourgeois ne comprit rien à ces paroles.

— Je ne suis pas venu ici pour cela, répond-il; il
s'agit de me payer mes quinze sous.

— Vraiment, il est fou, dit le prêtre. *Nomini Damne*[4].
210 Protégez l'âme de ce pauvre homme. Je vois bel et bien
qu'il a perdu la raison.

— Écoutez, dit le bourgeois, écoutez comme ce prêtre
se moque de moi. Peu s'en faut que je ne perde le sens,
à le voir ici m'imposer son livre!
215 — Je vous dirai, beau doux ami, reprend le prêtre,
de vous souvenir de Dieu quoi qu'il arrive, et nul mal ne
vous adviendra!

Et il lui met le livre sur la tête et veut lui lire l'évangile.
Mais le bourgeois de crier :
220 — J'ai affaire chez moi! Je n'ai cure de toutes vos
histoires. Payez-moi vite tout mon argent!

Et il se fâche rudement contre le prêtre. Effroi du
prêtre qui appelle tous ses paroissiens. Attroupement
autour du bourgeois.
225 — Tenez-moi cet homme, dit le prêtre, il est fou!

4. Pour *In nomine Domini*, latin
corrompu. Notez la cérémonie
d'exorcisme. Le fou est pris
pour un possédé.

— Mais non, par saint Corneille! je ne suis pas fou. Par la foi que j'ai pour ma fille, vous me paierez mes quinze sous. Vous ne me gaberez* pas ainsi.

— Tenez-le! ordonne le prêtre.

230 Les paroissiens, sans y contredire, se saisissent vite de lui, lui tiennent les mains très fort tout en lui disant des paroles de réconfort. Le prêtre apporte le livre, le lui met sur la tête et lit son évangile sans en sauter une ligne, l'étole autour du cou. Puis il l'asperge d'eau bénite, 235 le prenant à tort pour fou. Le bourgeois désire vivement s'en retourner chez lui. Les paroissiens finissent par le laisser aller. Le prêtre fait sur lui le signe de la croix et lui dit : « Vous avez été en peine! » Et le bourgeois se tient tout coi, honteux et confus d'avoir été si bien 240 berné, mais content d'en réchapper. Il s'en retourne droit à son hôtel.

Courtebarbe dit qu'on fait à tort honte à maint homme. C'est par là que je termine mon conte.

1. Quelles sont les deux intrigues? Comment sont-elles reliées? — En quoi le dénouement est-il imprévu? — Pensez-vous que tout se termine à la satisfaction de tous?

2. Quels sont les principaux traits qui donnent à ce fabliau un caractère de bonne humeur?

3. Quelles scènes pourraient fournir un dessin animé? Dans laquelle est-il facile d'imaginer les gestes, bien qu'ils ne soient pas indiqués?

4. Quelle phrase de l'auteur prouve que le but des fabliaux est de détendre en faisant rire?

5. Comment vous représentez-vous la vie à cette époque d'après : a) la peinture du clerc en voyage et des trois truands qui cheminent; b) la description de la rue, à la tombée de la nuit, dans une riche cité bourgeoise et marchande; c) la description de l'auberge et des préparatifs du repas; d) le comportement de l'aubergiste avec ses clients; e) le tour joué par le clerc aux aveugles, puis à l'hôtelier; f) la scène d'exorcisme?

****

[Fabliau originaire d'Ile-de-France, par Bernier, conteur du XIIIᵉ siècle.]

Aujourd'hui[1], je vous fais le récit d'une aventure qui arriva il y a bien dix-huit ou vingt ans quand un riche bourgeois d'Abbeville quitta sa ville avec sa femme et son fils. Riche, pourvu et même comblé de biens, il ⁵ s'éloigna de son pays parce qu'il était en guerre avec des gens plus puissants que lui. Or, il craignait et redoutait de vivre au milieu de ses ennemis. D'Abbeville, il vint à Paris et y vécut tranquille. Il fit hommage au roi et se reconnut son sujet et son bourgeois.

¹⁰ Le prud'homme* était sage et courtois, sa dame* d'humeur très gaie et leur fils ni fol, ni vilain, ni mal élevé. Dans la rue où il vint habiter, ses voisins étaient très contents de sa présence. On venait souvent voir le prud'homme et on lui portait grand honneur. Maintes ¹⁵ gens, sans prendre de la peine, pourraient se faire beaucoup aimer : quelques belles paroles seulement et vous voilà couverts d'éloges et de louanges. Car qui parle en bien, veut entendre dire du bien de lui. Méchanceté engendre méchanceté : c'est une vérité prouvée par ²⁰ l'expérience. On dit souvent « l'œuvre se prouve ». A l'œuvre, on connaît l'artisan.

Notre prud'homme resta plus de sept ans à Paris. Et il achetait et il vendait des marchandises. Et il faisait tant d'échanges qu'il conserva son avoir et même l'augmenta. ²⁵ Le prud'homme faisait donc de bonnes affaires et menait excellente vie jusqu'au jour où il perdit sa compagne et où Dieu décida de lui prendre sa femme qui vivait à ses côtés depuis trente ans. Il n'avait pour tout enfant que ce fils dont je vous ai parlé. Très courroucé ³⁰ et très accablé, il regrettait souvent sa mère qui l'avait si tendrement élevé. Il se pâmait, pleurait sur elle. Son père essayait de le réconforter :

— Beau* fils, disait-il, ta mère est morte : prions Dieu qu'il lui fasse miséricorde. Sèche tes yeux, essuie ton ³⁵ visage, car pleurer ne sert à rien. Nous mourrons tous, tu le sais bien. Il nous faudra passer par là. Nul ne peut empêcher la mort de l'emporter. Écoute-moi, beau fils! tu peux te consoler : te voilà beau bachelier*; tu es en âge de te marier. Quant à moi, me voilà déjà d'un grand ⁴⁰ âge. Si je pouvais te marier dans une famille puissante, je donnerais mes propres deniers. Car tes amis sont trop loin : dans le besoin, ils ne te seraient pas d'un prompt secours, et, sur cette terre, tu ne peux te concilier

1. Les premiers vers du fabliau manquent.

Ensemble de boutiques.

Bibliothèque Nationale

Livre du Gouvernement des Princes, fin du xve siècle (Bibliothèque de l'Arsenal).
On voit ici l'encombrement de la rue où les marchands ont leur maison et leur boutique, celle-ci tantôt sous un auvent tantôt sous l'encorbellement des maisons ; on reconnaît le tailleur, le barbier, le pharmacien.

personne sans recours à la force. Si donc je trouvais une
⁴⁵ femme bien née, richement apparentée, qui eût oncles,
tantes, frères, cousins germains, qui fût de bonne famille
et de bonne race et que j'y voie ton profit, je t'unirais
volontiers à elle sans regarder à mes deniers.

Or, seigneurs, il y avait alors à Paris, comme nous le
⁵⁰ conte l'histoire, trois chevaliers qui étaient frères. De
très haut parage par leur père et par leur mère, ils
appartenaient à la plus haute noblesse. De grand renom
et de haute estime par leurs exploits, il n'y avait pas une
parcelle de leur héritage — terres, bois, fiefs² — que,
⁵⁵ pour faire bonne figure dans les tournois, ils n'eussent
engagée. Sur leurs domaines, ils avaient bien emprunté
trois mille livres* à lourde usure, ce qui leur causait
force ennuis et tourments.

De sa femme, qui était morte, l'aîné avait une fille.
⁶⁰ La demoiselle avait hérité de sa mère une bonne maison
dans Paris, située en face de l'hôtel de notre prud-
d'homme. La maison n'appartenait point au père, car
les parents du côté de la mère n'avaient pas laissé le
chevalier la mettre en gage. La maison pouvait bien
⁶⁵ rapporter vingt livres parisis³ l'an et la demoiselle
n'avait pas d'autre peine que de recevoir ses deniers.
Elle avait beaucoup d'amis et était munie d'avoir.

Le prud'homme la demande au père et aux amis.
Les chevaliers s'enquirent de ses biens mobiliers, de sa
⁷⁰ fortune et lui demandèrent ce qu'il pouvait posséder.
Et il leur répondit bien volontiers :

— Tant en marchandises qu'en deniers*, j'ai quinze
cents livres comptant. Je mentirais si je me vantais
d'avoir plus. Je ne puis guère me tromper que de deux
⁷⁵ ou trois cents parisis. Je les ai loyalement acquis. J'en
donnerai la moitié à mon fils.

— Non, impossible d'accepter, beau* sire*, dirent les
chevaliers. Si vous vous faisiez templier⁴, moine blanc
ou moine noir⁵, vous laisseriez tout votre avoir ou au
⁸⁰ Temple ou à l'abbaye. Nous ne pouvons vous donner
notre accord, sire, par notre foi.

— Eh bien! comment le donnerez-vous, dites-le-moi.

— Bien volontiers, beau sire. Nous voulons que vous
donniez à votre fils tout votre bien et qu'il le possède
⁸⁵ en pleine et entière propriété de telle sorte qu'il n'y ait
jamais aucune contestation ni de votre part ni de la
part d'autrui. Si vous voulez y consentir, le mariage se
fera. Si non, nous lui refusons notre fille et nièce.

Le prud'homme* réfléchit un instant. Il regarda son
⁹⁰ fils, réfléchit encore, mais ce fut là une bien mauvaise
pensée qu'il eut. Il dit alors pour toute réponse :

2. Domaines nobles, relevant
du seigneur d'un autre do-
maine. 3. Livres de Paris.
4. Ordre religieux et militaire
fondé en 1118 pour la défense
de la Terre sainte. — Temple :
couvent de Templiers. 5. Moine
noir : bénédictin. — Moine
blanc : cistercien, trappiste.

— Seigneurs, quoi que vous demandiez, j'accomplirai votre volonté. Voici le contrat que je vous propose : si mon fils prend votre fille comme épouse, je lui
95 donnerai tout ce que je possède. Je vous le dis devant tout le monde : je ne veux rien garder pour moi. Qu'il prenne tout, que tout soit sien. Je l'en saisis et l'en revêts.

Ainsi le prud'homme se dépouille : devant les témoins
100 qui étaient là, il s'est dessaisi et dévêtu de tout ce qu'il possède au monde, si bien qu'il reste aussi nu qu'un rameau qui est pelé. Il n'avait plus ni sou ni maille dont il pût faire un repas sans le mendier à son fils. Il lui donna donc tout et, quand sa parole fut dite, aussitôt
105 le chevalier saisit sa fille par la main et il l'a donnée au bachelier, qui l'épousa.

Pendant douze ans, le mari et la dame vécurent en paix ensemble et la dame eut du jeune homme un bel enfant. Elle le fit bien soigner et bien élever. Elle aussi,
110 on la soigna bien. Elle fut l'objet de mille bons traitements. On ne lui ménagea pas les bains, et, à ses relevailles, le prêtre vint la bénir.

Le prud'homme demeurait à l'hôtel : il se donna bien le coup mortel quand, pour vivre à la charge d'autrui,
115 il se dessaisit de son avoir. Il demeura douze ans dans l'hôtel, et son petit-fils, déjà grand, se rendait compte de tout : souvent il avait ouï le conte de ce qu'avait fait son grand-père pour que le fils obtînt la mère. Et l'enfant, du jour où il l'entendit, ne le mit plus en
120 oubli.

Le prud'homme était devenu vieux. Vieillesse l'avait abattu : il dut se soutenir d'un bâton. Son fils n'aurait pas demandé mieux que d'aller quérir son linceul. Il lui tardait qu'il fût en terre, car il était un fardeau pour
125 lui. La dame*, qui était fière et orgueilleuse, du prud'homme était dédaigneuse. Elle le supportait à contre-cœur. A nul prix, elle ne put se retenir de dire un jour à son mari :

— Sire, je vous en prie, de grâce, congédiez votre
130 père. Car, par l'amour que je dois à ma mère, je ne mangerai tant que je le verrai céans*. Je veux que vous lui donniez congé.

— Dame*, dit-il, je le ferai.

Et le mari, qui craint et redoute sa femme, s'en vient
135 tout de suite à son père et lui dit brutalement :

— Père, père, allez-vous-en. On n'a que faire ici de vous ni de votre présence. Allez chercher votre vie ailleurs. On vous a nourri dans cet hôtel douze ans et

plus. Faites vite. Levez-vous. Pourvoyez-vous où vous
140 voudrez. Il le faut, maintenant!

Le père entend son fils. Il pleure cruellement. Souvent
il maudit le jour et l'heure. Il se plaint d'avoir trop vécu.

— Ah! beau doux fils, que me dis-tu? Par Dieu,
c'est tout l'honneur que tu me portes de me laisser
145 ainsi à la porte? Je ne tiendrai pas grande place. Je ne
demande ni feu, ni courtepointe, ni tapis. Mais là, sous
cet appentis, fais-moi jeter un peu de paille. Parce que
je mange ton pain, il ne faut me jeter hors de l'hôtel.
Peu me chaut qu'on me mette là dehors, pourvu qu'on
150 me donne de quoi manger. Pour le peu de temps qui
me reste à vivre, tu ne devrais pas m'abandonner ainsi.
Ne peux-tu pas mieux expier tous tes péchés en me
faisant du bien que si tu te revêtais de la haire*?

— Beau père, dit le bachelier, rien ne sert de
155 sermonner. Mais faites vite. Allez-vous-en, sinon ma
femme deviendra folle.

— Beau fils, où veux-tu que j'aille? Je n'ai pas un
sou vaillant[6]!

— Vous irez par la ville. Il y a là au moins dix mille
160 hommes qui trouvent bien leur vie. Ce serait une grande
malchance, si vous n'y trouviez point pâture. Il y a
bien des gens qui vous reconnaîtront et qui vous
hébergeront.

— M'héberger, beau fils! Qui m'hébergera, quand
165 toi, tu me chasses de ta maison? Puisque toi, tu agis
mal envers moi, comment des gens qui ne me sont
rien seraient-ils bons pour moi, quand tu m'aban-
donnes, toi qui es mon fils?

— Père, dit-il, je n'en puis mais. Je prends sur moi
170 tout le faix, mais vous ne savez si j'agis de plein gré.

Le père alors a telle douleur que peu s'en faut que
le cœur ne lui crève. Faible comme il est, il se lève et
sort de l'hôtel en pleurant :

— Fils, dit-il, à Dieu je te recommande. Puisque tu
175 veux que je m'en aille, pour Dieu, donne-moi un morceau
de ta serpillie[7]. Ce n'est pas chose bien chère et je ne
puis souffrir le froid. Je te le demande pour me couvrir,
car j'ai robe trop peu fournie et le froid, plus que tout,
me tue.

180 Et le fils, qui répugne à donner, répond :

— Père, je n'en ai nulle. Et vous n'en aurez point à
moins qu'on ne me pille ou vole.

— Beau doux fils, tout le cœur me tremble! Je redoute
tant la froidure! Donne-moi au moins une couverture
185 dont tu couvres ton cheval, que le froid ne me fasse
mal.

6. Qui ait *quelque valeur*, qui
vaille. 7. Grosse toile, tablier
en grosse toile.

Et le fils, qui ne cherche qu'à s'en débarrasser, voit bien qu'il ne peut être quitte s'il ne lui baille* quelque chose. Et il ordonne à son enfant de donner la couverture
¹⁹⁰ au vieillard pour qu'il s'en aille.

A l'appel de son père, l'enfant bondit :

— Qu'y a-t-il pour votre service? dit-il.

— Beau fils, je te commande, si tu trouves l'étable ouverte, de donner à mon père la couverture qui est
¹⁹⁵ sur mon cheval noir. Il s'en fera, s'il veut, un manteau, chape, ou couverture. Donne-lui la meilleure de toutes.

L'enfant, qui était avisé, dit :

— Venez avec moi, beau grand-père.

Le prud'homme le suit, tout chagrin et plein de
²⁰⁰ tristesse. L'enfant trouve la couverture. Il prend la meilleure et la plus neuve, la plus longue et la plus large. Il la plie par le milieu et la coupe en deux avec son couteau, au mieux qu'il peut et au plus bel. Puis il en donne la moitié à son aïeul.

²⁰⁵ — Beau* fils, dit le vieillard, qu'en ferai-je? Pourquoi me l'as-tu coupée? Ton père me l'avait donnée. Vraiment tu as fait grande cruauté puisque ton père avait ordonné que je l'eusse en entier. Je vais le lui dire.

— Allez où vous voudrez, dit l'enfant, de moi vous
²¹⁰ n'aurez rien de plus.

Le prud'homme sortit de l'écurie :

— Fils, dit-il, on tourne à fable tout ce que tu commandes et fais. Tu ne châties donc pas ton fils, qu'il ne te redoute ni ne te craint? Ne vois-tu pas qu'il
²¹⁵ a gardé la moitié de la couverture?

— Dieu te donne malchance, dit le père, baille-la-lui toute.

— Non, dit l'enfant, je ne le ferai sans aucun doute. De quoi seriez-vous payé? Je vous en garde la moitié.
²²⁰ De moi, vous n'aurez rien de plus. Si je deviens le maître un jour, je vous la partagerai tout comme vous la lui avez partie. Comme il vous donna son avoir, moi aussi je le veux avoir, et de moi vous n'emporterez pas plus que vous ne lui donnez. Si vous le laissez
²²⁵ mourir misérable, j'en ferai autant pour vous, si je vis.

Le père l'entend et soupire profondément. Il réfléchit et rentre en lui-même. Il tire grand exemple des paroles de l'enfant. Il tourne la tête vers son père :

— Père, fit-il, revenez. C'est l'Ennemi* et le péché
²³⁰ qui m'ont tendu un piège. Mais, s'il plaît à Dieu, cela ne sera pas. Aujourd'hui je vous fais seigneur et maître de mon hôtel à tout jamais. Si ma femme ne veut la paix, si elle ne veut vous supporter, ailleurs je vous ferai bien servir et vous y ferai disposer de courte-

[235] pointe et d'oreiller. Je vous le dis, par saint Martin, je ne boirai jamais de vin ni ne mangerai bons morceaux que vous n'en ayez le plus beau. Et vous serez en chambre privée et au bon feu de cheminée et vous aurez robe comme moi. Vous avez été de bonne foi avec [240] moi, beau doux père, et c'est de vos biens que je suis riche.

Seigneurs, il y a là grand enseignement et claire signification. Car c'est ainsi que le fils chassa le père des mauvaises pensées où il se perdait. Qu'ils se [245] regardent ici comme au clair d'un miroir, ceux qui ont enfants à marier! Ne donnez pas tant à votre enfant que vous ne puissiez rien recouvrer. Ne vous y fiez pas : les enfants sont sans pitié. Quand leurs pères ne peuvent plus les aider, ils ont vite fait d'en être [250] ennuyés. Et qui se met au pouvoir d'autrui s'expose à grande affliction[8].

Ce récit, Bernier le conta. Il en fit ce qu'il en sut faire[9].

8. Cf. *la Natte partagée* (*Fables chinoises*, traduites par E. Chavannes) et le conte de Grimm : *L'aïeul et le petit-fils.* 9. Comprenez : il a fait ce qu'il a pu.

Texte original [extraits.] Vers 324 à 365.

L'enfes[1], qui fu[2] de biau sens,
[325] Li[3] dist : « Biaus taions[4], venés en. »
Li preudon[5] s'en torne avoec lui,
Tos corouciés et plains d'anui[6].
L'enfes la couverture[7] trueve,
La meillor[8] prist et la plus nueve
[330] Et la plus grant[9] et la plus lee[10].
Si[11] l'a par le mi leu doublée,
Si parti[12] a[13] son coutel[14]
Au miex qu'il pot[15] et au plus bel :
Son taion[16] bailla[17] la moitié.
[335] « Biaus fis[18], fet il, que ferai gié[19]?
Por quoi le[20] m'as tu recopee?
Ton père le m'avoit donée :
Or as tu fet grant cruauté[21],
Que[22] ton père avoit commandé
[340] Que je l'eüsse toute entière.
Je m'en irai a[23] lui arriere.
— Alès, fet il, ou vous voudrés,
Que[24] ja[25] par moi plus n'en avrés. »
Li preudon[26] issi[27] de l'estable.
[345] « Fis[28], fet il, tres tout torne a fable[29]

1. L'enfant. Cas sujet singulier (latin *infans*). 2. Était. 3. Lui. Cas régime indirect. 4. Grand-père. Cas sujet singulier. 5. Le prud'homme. Cas sujet singulier. 6. Ennui. 7. Complément d'objet direct. 8. La meilleure. 9. Grande (latin *grandis*). Le féminin a la même terminaison que le masculin, conformément à l'étymologie. Survivances : *grand-rue, grand-croix, grand-mère,* Rochefort. 10. Large (*lata*). 11. Et. 12. La partagea, du verbe *partir.* Comparer les expressions : avoir maille à *partir* (à partager). La housse *partie* : la couverture partagée. Se *départir* de (se séparer de). 13. Avec (exprime le moyen). Comparer : jouer à la balle, chasser *au* fusil. 14. Couteau. Vocalisation de la consonne. De même : fablel, fableau; bel, beau. 15. Put. Passé simple. 16. Cas régime indirect : à son grand-père. 17. Donna (du latin *bajulare,* porter). Survivances : *bailleur* de fonds, donner à *bail.* 18. Cas sujet singulier. 19. Je. 20. Me l'as-tu recoupée. Noter la place du pronom *le.* 21. Tu as agi avec une grande cruauté. 22. Puisque. 23. Vers. 24. Car. 25. Jamais. 26. Le prud'homme. Cas sujet singulier.

Quanques[30] tu commandas et fis.
Que[31] ne chastoies[32] tu ton fis,
Qu[33]' il ne te doute ne ne[34] crient[35]?
Ne vois tu donques qu'il retient
350 La moitié de la couverture?
— Va, diex[36] te doinst[37] male aventure[38],
Dist li peres[39], baille li toute[40].
— Non ferai, dist l'enfes, sens doute[41] :
De qoi seriiés vous paiié?
355 Je vous en estui[42] la moitié,
Que[43] ja de moi n'en avrés plus;
Si j'en puis venir au desus[44],
Je vous partirai autressi[45]
Comme vous avés lui parti[46].
360 Si comme[47] il vous dona l'avoir[48],
Tout ausi le vueil je[49] avoir,
Que[50] ja de moi n'en porterés[51]
Fors que[52] tant com vous li donrés.
Se[53] le lessiés morir chetif[54]
365 Si ferai je vous[55], se je vif[56]. »

---

1. Faites le plan de ce récit en distinguant nettement ses épisodes successifs.
2. Quel en est le point de départ, tout simple ? — Comment les faits se sont-ils développés jusqu'à fournir une véritable « nouvelle » ? — Quels gestes, lents et minutieux, du jeune garçon, amènent le revirement de son père ? — Pourquoi ce revirement surprend-il ?
3. En quoi l'émotion croît-elle d'épisode en épisode ? — Quel sentiment suscitent, à l'intérieur de chaque épisode, l'opposition entre les personnages, le contraste des sentiments, le heurt des paroles ?
4. Quels sont les sentiments du père maintenant grand-père ? ceux de son fils ? Quelles expressions les rendent avec force ?
5. Quels sont, à l'égard du fils du prud'homme, les sentiments de sa femme ? ses sentiments à lui à l'égard de sa femme ?
6. Que pense-t-on d'abord de la conduite de l'enfant quand il partage la couverture en deux ? Comment expliquer son geste ? — Quelle justification donne-t-il de son manque de cœur ?
7. Quelles notations, dans le portrait du prud'homme, montrent que le conteur a voulu faire le tableau de l'homme de bien ? — Quelles consolations cet homme donne-t-il à son fils après la mort de la « dame » ? — Où manifeste-t-il son honnêteté, sa conscience scrupuleuse, sa bonne volonté dans les négociations du mariage ? — Où voit-on son angoisse de père, sa tendresse déçue ?
8. Où trouve-t-on des silences plus expressifs que des paroles ?
9. Quelles réflexions donnent à ce fabliau un ton moralisant et non plus comique ?
10. A quels traits reconnaît-on le sentiment religieux de l'époque ?

27. Sortit. Du vieux verbe *eissir* (du latin *exire*, aller hors de, sortir). Survivances : *issu*, participe passé, d'où *issue*, nom féminin. 28. Fils, cas sujet singulier. 29. Tout se transforme en mensonge. 30. Tout ce que. 31. Pourquoi *ne châties-tu pas.* 32. Châties (latin *castigare*, corriger). 33. De ce que. 34. *Ni* ne. 35. Craint (du vieux verbe *criendre*). 36. Dieu. 37. Que Dieu te donne. 38. Malheur. 39. Le père. Cas sujet singulier ; s analogique (li *murs*). 40. Donnela *lui toute.* 41. Sans aucun doute, certainement. 42. Garde (du verbe *estuier*). 43. Car. 44. Devenir le maître. 45. De la même façon. 46. *Comme vous* la *lui* avez partagée. 47. Tout comme. 48. Le bien. 49. Je le veux. 50. Car. 51. Vous n'emporterez. 52. Excepté autant que, qu'autant que vous lui aurez donné. 53. Si. 54. Malheureux. Proprement : captif (du latin vulgaire *cactivus*, pour *captivus*, prisonnier). 55. Ainsi ferai-je de vous. 56. Si je vis (du latin *vivo*, sans s analogique à la première personne).

****

Le Larron qui embrassa[1] un rayon de lune

[Extrait du *Castoiement d'un père à son fils*, traduit sur le texte latin écrit au début du XIIᵉ siècle par Pierre Alphonse.]

J'ai ouï parler d'un larron qui entra dans une maison où habitait un homme riche. Il voulait y voler et monta sur le toit de la maison. Du haut du toit, il se mit à écouter pour s'assurer que personne ne veillait plus
5 dans la maison et qu'il pouvait agir à son aise.

Mais le maître de la maison aperçut très bien le larron. Il se promet, s'il le peut, de lui jouer un bon tour. Il dit tout bas à sa femme :

— Demande-moi bien haut (peu m'importe qu'on
10 t'entende) d'où m'est venue la richesse qui me permet de mener tel train aujourd'hui. Ne me laisse reposer qu'une fois que tu me l'auras fait conter.

Celle-ci fit ce qu'il demandait; elle lui dit à haute voix :
15 — Sire*, par Dieu, contez-moi donc comment vous avez conquis votre richesse et votre avoir. Je ne pus jamais le savoir. Je ne vous vis jamais faire le marchand ni l'usurier pour tant gagner. Je ne sais où vous avez acquis tout ce que vous possédez.
20 — Vous avez tort, répondit-il, de me demander telle chose. Faites à votre volonté des biens que Dieu vous a prêtés.

Alors elle se mit à le presser de plus en plus, et s'efforça de tout savoir. Le prud'homme faisait beaucoup de
25 difficultés pour consentir à ce qu'elle demandait. A la fin, comme par contrainte, il lui apprit d'où venait sa richesse :

— Je fus jadis larron, dit-il, et c'est ainsi que j'entrai en possession de tant de richesses.
30 — Comment avez-vous donc volé? Jamais nul ne vous accusa.

— Mon maître m'enseigna un charme* auquel il attachait beaucoup d'importance; quand il était sur le toit d'une maison, il répétait sept fois certaines
35 paroles magiques. Puis j'embrassais un rayon de lune

1. Saisit dans ses bras.

Bibliothèque Nationale

« *Le roman médiéval, c'est un clerc et une dame qui l'écoute* » (Albert Thibaudet).
(*Le Roman du Saint-Graal*, de Robert de Borron, XIIIᵉ siècle).

et je descendais dans la maison, où je prenais sans difficulté tout ce que je voulais. Et quand je désirais m'en retourner, je répétais sept fois la formule magique, j'embrassais de nouveau le rayon de lune et remontais
40 comme par une échelle.

— Enseignez-moi donc ces paroles, dit-elle.

— Elles sont très faciles, reprit-il : c'est le mot *saül* sept fois répété. Les paroles dites, le rayon me portait aisément; et, dans la maison où je les avais prononcées,
45 grand ni petit ne s'éveillait.

— Par saint Maur! dit la femme, voilà un charme qui vaut un riche trésor. Si j'ai jamais ami ou parent qui ne puisse vivre autrement, je lui enseignerai ce charme-là, et j'en ferai un riche manant*.
50 Le prud'homme lui dit alors de se taire et de s'endormir, car il avait assez veillé, et avait grand sommeil. Elle le laissa reposer et il se mit à ronfler. Quand le vilain* l'entendit, il le crut endormi. Il n'avait pas oublié le mot magique... Il le répéta sept fois, embrassa un
55 rayon de lune, y noua ses pieds et ses mains... et trébucha si bien qu'il tomba et se brisa la cuisse droite et le bras pareillement. Le rayon l'avait bien mal porté.

Le prud'homme, éveillé, parut effrayé du bruit et demanda qui menait tel vacarme :
60 — Je suis, dit l'autre, un larron, et j'ai, par malheur, prêté l'oreille à votre discours. Votre charme m'a si bien porté que me voici mort et blessé.

On se saisit du larron et l'on court aussitôt chercher la justice pour le lui livrer.

---

1. Quelle impression produit le titre? — Comment la curiosité du lecteur est-elle éveillée dès le début et dans la suite?
2. Quels sont les traits de merveilleux? — Quels sont aussi les détails familiers?
3. Quel bon tour le maître de la maison se propose-t-il de jouer au larron? En quoi est-il bien machiné? — Pourquoi oblige-t-il sa femme à le presser de questions, à insister?
4. Quel est le caractère du larron? De quoi le conteur a-t-il voulu se moquer?

****

Du Vilain* et de l'oiselet

[Extrait du *Castoiement d'un père à son fils*.]

Un prud'homme* avait un beau jardin : il avait coutume d'y entrer chaque matin, pendant la belle saison, alors qu'à plaisir chantent oiseaux petits et grands. Une fontaine y sourdait, qui faisait reverdir ce lieu.
5 Volontiers y venaient les oiseaux et ils y menaient doux bruit.

Un jour, le prud'homme entra dans son jardin et se reposa dans ce beau lieu. Il entendit un oiseau chanter. L'envie le prit de s'en saisir : il attrapa l'oiseau au
10 lacet.

L'oiseau lui dit :

— Pourquoi t'être donné la peine de me tromper et de me prendre par ruse? Quel profit en penses-tu avoir?

15 — Je veux, dit l'autre, que tu chantes pour moi.

— Si tu me promets, répondit l'oiseau, que je pourrai m'en aller partout où je voudrai, je chanterai à ton gré. Mais tant que tu me tiendras prisonnier, tu n'entendras aucun chant de moi.

20 — Si tu ne veux pas chanter pour moi, je te mangerai.

— Me manger, dit l'oiselet, et comment? Je suis trop petit, vraiment. L'homme qui me mangera n'en tirera guère de profit. Si l'on me met à rôtir, je serai tout sec et petit. Je ne vois pas comment vous pourriez
25 me préparer pour tirer quelque plaisir de moi. Mais si vous me laissez aller, certes grand profit en tirerez. Car, en vérité, je vous dirai trois préceptes que vous priserez, seigneur* vassal*, beaucoup plus que la chair de trois veaux.

48

Le mois de mai : Seigneurs à la promenade.

(Enluminures des frères de Limbourg, XVe siècle, pour les *Très Riches Heures du Duc de Berry*. Musée Condé, à Chantilly. C'est un calendrier en images; très précieux pour la représentation des hommes, des travaux des champs.) Au fond, un des châteaux où le Duc de Berry rassemblait ses trésors d'art : ici, Riom.

Archives Photographiques

Pierpont Morgan Library

Le battage du lin au fléau.

Image vivante et précise de la vie quotidienne à la ferme
(Heures de la Vierge).

30 Le prud'homme le laissa s'envoler, puis lui demanda de tenir sa promesse. L'oiseau lui répondit aussitôt :

— Ne crois pas tout ce qu'on te dira. Garde bien ce que tu tiendras et ne va pas le perdre en te fiant aux promesses. Ne sois pas trop malheureux pour chose 35 que tu aies perdue. Ce sont là, mon ami, les trois préceptes que j'avais promis de t'apprendre.

Là-dessus, l'oiseau se percha sur un arbre et se mit à chanter très doucement. Puis il dit :

— Béni soit le Dieu de majesté, qui t'a si bien 40 aveuglé, et t'a enlevé sens et avoir. Si tu avais ouvert mon corps, tu aurais trouvé une jagonce* précieuse en mon gosier, si je ne mens, du poids d'une once*, tout droitement!

Quand le vilain* l'entendit, il se prit à pleurer, à 45 gémir, à se frapper et à regretter maintes fois d'avoir laissé échapper l'oiseau.

— Pauvre fol, dit celui-ci, m'est avis que tu mets bien vite en oubli les trois préceptes que je t'appris tout à l'heure. Je t'ai dit de ne point croire tout ce 50 que tu entendras; pourquoi crois-tu si légèrement qu'en mon gosier est une pierre, une pierre qui pèse une once? Tout entier, je ne pèse pas tant! Et je t'ai dit, s'il t'en souvient, de ne point trop te chagriner ni te rendre misérable, pour chose que tu aies perdue.

55 Sur ce, l'oiseau s'envola et s'enfuit bien vite vers le bois[1].

1. Il existe, sur la même donnée, un second conte, beaucoup plus détaillé, cité dans le *Recueil de Fabliaux* de Méon et Barlazan et adapté par A. Pauphilet dans les *Contes du Jongleur*, Piazza, éd.

---

1. Faites le plan de ce conte. — Quelle est la partie la plus développée? — Pourquoi le dénouement est-il si soudain? — Comment le conteur fait-il sentir la rapidité de la fuite de l'oiselet?

2. Est-ce au dialogue ou au récit que l'auteur fait la plus grande place? Quand et pourquoi interrompt-il le dialogue pour reprendre le récit?

3. Le décor : qu'est-ce qui fait le charme du jardin, quels détails lui donnent ce caractère?

4. Quels traits manifestent la cupidité du vilain, son insensibilité aux belles choses?

5. Quelles raisons l'oiselet invoque-t-il pour décider le vilain à lui rendre la liberté? Quelle est la plus décisive? — Comment, une fois libre, dupe-t-il le vilain et achève-t-il de le punir? — Quel rapport ses préceptes ont-ils avec ce qui s'est passé?

6. Quelles sont, dans les paroles de l'oiseau, celles qui marquent sa gentillesse malicieuse, sa sagesse moqueuse? Quelles phrases donnent à son langage une grâce familière?

7. En quoi ce récit est-il un véritable « conte » ?

****

La Sacoche perdue

[Historiette extraite d'un sermon prêché vers 1260 dans la cathédrale d'Amiens, citée par Lecoy de la Marche dans son étude : *La chaire française au XIIIe siècle*.]

Un marchand venait d'une foire où il avait fait de très grandes affaires. Il avait mis tout son avoir, en belles pièces d'or, dans une grande sacoche de cuir. Il allait par monts et par chemins. En traversant la
5 ville d'Amiens, il passa devant une église. Il s'y arrêta pour faire ses prières, comme il en avait l'habitude, devant l'image de la mère de Dieu, et posa sa sacoche devant lui. Quand il se releva, une pensée qui l'occupait la lui fit oublier et il s'en alla sans la prendre.

10 Il y avait dans la ville un bourgeois* qui, lui aussi, avait coutume d'aller faire oraison devant la benoîte[1] mère de Dieu. Il vint peu après s'agenouiller à la place que l'autre venait de quitter. Il trouve la sacoche, scellée et fermée d'une petite serrure, et il comprend
15 bien qu'elle doit renfermer beaucoup de pièces d'or.

Tout étonné, il s'arrête :

— Eh! Dieu, dit-il, que faire? Si je fais crier par la ville que j'ai trouvé cette sacoche, tel la réclamera qui n'y a aucun droit.

20 Il se décide à la garder jusqu'à ce qu'il en entende parler. Il rentre chez lui, cache la sacoche dans un coffre, puis vient à sa porte et avec un morceau de craie il y écrit en grosses lettres : « Si quelqu'un a perdu quelque chose, qu'il s'adresse ici. »

25 Le marchand avait repris sa route, et, sorti de la pensée qui l'avait distrait, tâte autour de lui, croyant trouver sa sacoche, mais ce fut peine perdue.

— Hélas, s'écrie-t-il, j'ai tout perdu! Je suis mort! Je suis trahi!

30 Il revint à l'église dans l'espoir que la sacoche y était encore : plus de sacoche. Il va trouver le prêtre et lui demande des nouvelles de son argent : point de nouvelles. Il quitte l'église, tout troublé. Il se met à errer par la ville.

35 En passant devant la maison du bourgeois qui avait trouvé la sacoche, il voit les lettres écrites sur la porte. Le bourgeois se tient sur le seuil. Notre marchand l'accoste :

— Êtes-vous, dit-il, le maître de cette maison?

40 — Oui, sire*, tant qu'il plaira à Dieu. Qu'y a-t-il pour votre service?

— Ah! sire, pour Dieu, dites-moi, qui a écrit ces lettres à votre porte?

1. Bénie (doublet) : du latin *benedicta. Faire oraison :* prier.

50

Le bourgeois feint de n'en rien savoir :
45 — Bel* ami*, dit-il, il passe par ici bien des gens,
surtout des clercs* ; ils écrivent des vers ou ce qui leur
passe par la tête. Mais avez-vous perdu quelque chose?
    — Perdu! certes, j'ai perdu tout mon avoir.
    — Quoi au juste?
50 — Une sacoche toute pleine d'or, scellée et fermée
d'une serrure.
    Et il décrit la serrure et le sceau.
    Le bourgeois comprend sans peine qu'il dit la vérité.
Il le mène dans sa chambre, lui montre la sacoche et
55 lui dit de la prendre. Le marchand, voyant ce bourgeois
si loyal, reste tout interdit : « Beau sire Dieu, pense-t-il,
je ne suis pas digne d'avoir le trésor que j'avais amassé.
Ce bourgeois en est plus digne que moi. »
    — Sire, dit-il, cet argent sera mieux placé dans vos
60 mains que dans les miennes. Je vous l'abandonne et
je vous recommande à Dieu.
    — Ah! bel ami*, s'écrie le bourgeois, prenez votre
sacoche, en grâce; je n'y ai pas droit.
    — Non, dit le marchand, je ne la prendrai pas; je
65 m'en irai pour sauver mon âme.
    Et il s'enfuit en courant.
    Quand le bourgeois le voit fuir, il se met à courir
après lui en criant :
    — Au voleur! au voleur! arrêtez-le!
70 Les voisins l'entendent, sortent, arrêtent le marchand
et l'amènent au bourgeois :
    — Que vous a-t-il volé? lui dirent-ils.
    — Seigneurs*, il veut me voler mon honneur et ma
loyauté que j'ai gardés toute ma vie.
75 Quand ils eurent appris toute la vérité, ils obligèrent
le marchand à reprendre son argent.

---

1. Combien d'épisodes comprend ce conte? Pourquoi le dernier
est-il si bref? — Quels sont les faits inattendus? — Comment
s'expliquer la méprise aux cris de *Au voleur*?
2. Quelles précisions dans le décor, quels détails familiers, quelles
réflexions et attitudes des personnages donnent à cette anecdote
les caractères d'une « histoire vécue »?
3. Où voit-on la bonne foi du bourgeois? où sa prudence et son
habileté? — Quel sentiment, quelle réaction la loyauté de cet homme
suscite-t-elle chez le marchand?
4. Comment le marchand a-t-il perdu sa sacoche? Quand et pourquoi s'en aperçoit-il? Par quelle sorte de mots se traduit son
désespoir? — Pourquoi recommande-t-il le bourgeois à Dieu, au
moment où il lui fait don de sa sacoche? Pourquoi s'enfuit-il
quand l'autre veut la lui restituer?

****

Le Chevalier au barillet*

[Conte en vers du XIIᵉ siècle par Jean de la Chapelle.]

Un chevalier qui « rassemble tous les péchés »[1].

Entre Normandie et Bretagne, dans une terre fort
lointaine, vivait jadis un très puissant seigneur dont
la renommée était très grande. Près du rivage de la
mer, il avait fait construire un château bien garni de
⁵ tours et de créneaux, si fort et si bien muni qu'il ne
craignait roi ni comte, ni duc, ni prince, ni vicomte.

Le seigneur dont je parle était, à ce que j'ai entendu
dire, très beau de corps et de figure, riche de biens et
de lignage[2]. Il semblait, à voir son visage, qu'il n'y
¹⁰ eût point au monde homme plus doux : mais il était
félon* et déloyal, si traître et si faux, si fier, si orgueilleux
et si cruel, qu'il ne craignait ni Dieu, ni homme au
monde.

Il avait ruiné tout le pays autour de lui : il ne pouvait
¹⁵ rencontrer voyageur sur un chemin qu'il ne le mal-
traitât, si puissante était en lui l'inclination au mal.
Il tuait les pèlerins, dérobait les marchands. Il n'épargnait clerc* ni moine reclus, ermite ni chanoine, nonnes
ni converses[3], comme étant attachés à Dieu. Il les
²⁰ faisait vivre honteusement quand il les tenait à sa
merci, et les dames et les pucelles* et les veuves et les
servantes. Il n'épargnait pauvre ni riche, sage ni sot.
Jamais il n'avait voulu se marier, trouvant que c'eût
été s'humilier : se lier à une femme, il eût pris cela pour
²⁵ un déshonneur!

Il mangeait de la viande en tout temps et n'y voulut
jamais manquer, ni vendredi, ni sainte quarantaine[4],
ni jour d'abstinence en semaine. Il n'avait point souci
d'entendre messe ni sermon, ni la lecture des saintes
³⁰ Écritures. Il honnissait tous les prud'hommes*. J'ima-
gine que jamais il n'y eut homme pire. Enfin tous les
péchés qu'on peut commettre, en actes, dits et pensées,
il les avait tous rassemblés dans sa vie.

Il vécut ainsi près de trente ans, sans rien expier
³⁵ de toutes ses fautes.

Un jour de Vendredi-Saint.

Vint certain carême, et le jour du Vendredi-Saint.
Cet homme donc, qui avait si peu de tendre amour
pour Dieu, se leva de bon matin et dit à ses cuisiniers :
— Préparez-moi vite quelque gibier, car voici l'heure

1. Ces sous-titres ne sont pas
dans le texte. **2.** Famille :
ascendants et collatéraux. **3.**
Du latin *conversus*, tourné;
religieux ou religieuses tour-
nés vers le dehors, c'est-à-dire
préposés au service domestique
d'un couvent. **4.** Le Carême.

52

⁴⁰ du repas. Je veux manger de bonne heure. Puis nous irons chercher aubaine.

Les cuisiniers furent consternés. Ils répondirent, tristes, confus, en hommes qui n'osaient le contredire :

— Nous ferons votre volonté, sire*.

⁴⁵ Les chevaliers, qui entendirent et qui pensaient davantage à Dieu, de s'écrier aussitôt :

— Qu'avez-vous dit, sire! Nous sommes dans le saint temps de Carême. C'est aujourd'hui le saint vendredi où Dieu souffrit passion pour notre salut. ⁵⁰ Tout le monde doit jeûner aujourd'hui; et vous, vous voulez rompre le jeûne et, chose pire, manger de la viande! Tous, même les enfants, font abstinence et pénitence et jeûnent, et vous voulez vous nourrir de chair! Dieu se vengera de vous, oui, il le fera sans ⁵⁵ aucun doute!

— Ma foi, ce n'est toujours pas pour maintenant. D'ici là, j'aurai encore commis plus d'un méfait. L'on verra bien encore par mon ordre plus d'un homme pendu, tué, brûlé…

⁶⁰ — Avez-vous, dirent-ils, assurance que Dieu vous accorde un tel délai pour l'offenser? Vous devriez sans retard vous tourner⁵ vers Jésus-Christ, notre Créateur, crier grâce, et pleurer les péchés dont vous êtes si honteusement souillé!

⁶⁵ — Pleurer, dit-il, quelle plaisanterie! De tel tracas je n'ai souci! Pleurez, vous, si vous voulez; moi, je rirai. Certes, point je ne pleurerai.

— Sire, écoutez. Il y a dans le bois voisin un très saint homme à qui vont se confesser les gens qui veulent ⁷⁰ renoncer à leurs péchés. Il ne faut pas toujours faire le mal, on doit revenir à Dieu. Allons vers cet homme et confessons-nous. Et renonçons à mal faire.

— Me confesser! Voilà qui serait le diable! Maudit qui s'en ira là-bas, maudit qui y mettra les pieds! ⁷⁵ S'il y avait chez votre saint homme butin à prendre, j'irais bien le voir. Mais autrement, je n'irai point.

— Eh bien! venez pour nous tenir compagnie, sire*. Venez donc, faites-le par bonté pour nous.

— C'est bon, j'irai pour vous, mais je ne ferai rien ⁸⁰ pour Dieu. J'y vais pour vous, c'est entendu! Allons, qu'on m'amène un cheval et je vais avec tous ces pape-lards⁶. Je ferais plus de cas de deux mésanges, de deux oiselets que de toutes leurs confessions! Je n'y vais que pour me railler d'eux. Une fois confessés, ils n'en ⁸⁵ recommenceront que de plus belle à voler. Ce sera tout à fait la confession de Renart au Milan⁷. Un souffle suffit pour renverser ces confessions-là.

5. C'est-à-dire : vous convertir, au sens étymologique du mot. 6. Hypocrites. Composé du vieux mot *paper*, manger gloutonneusement, et de *lard* (parce que le faux dévot mange du lard en cachette). 7. Dans *le Roman de Renard*, Renard, le goupil, feint de se confesser au Milan et le dévore ensuite.

— Sire, dirent-ils, venez pourtant et que le Dieu qui jamais ne mentit fasse de vous à sa volonté et vous

90 donne la vraie humilité.

— Ah! par ma foi, je ne veux point d'humilité, ni que douceur me vienne, car personne ne me craindrait plus.

Le chevalier se rend chez le saint ermite.

Cependant les chevaliers se sont mis en route; ils

95 marchent en pleurant, et, derrière eux, le seigneur s'avance en chantant. Ils marchent devant, et lui ne fait que les tourmenter et railler et piquer et agacer...

Après avoir suivi tout droit le chemin, ils sont arrivés d'une traite à l'ermitage, dans la forêt. Ils y pénètrent

100 et trouvent l'ermite dans l'église. Mais leur seigneur reste dehors, leur seigneur cruel et puissant, félon et fier et irritable plus que les chiens enragés et loups-garous. Droit sur ses étriers, il regarde fièrement à ses pieds[8].

105 — Sire, disent-ils, descendez donc. Entrez, repentez-vous. La prière obtient miséricorde de Dieu.

— Je ne bougerai point, dit-il. Pourquoi prierais-je Dieu, puisque je ne ferai rien pour lui? Finissez vite votre histoire, car, moi, je n'ai rien à faire là-dedans.

110 Je vois bien que ce retard va me gâcher toute ma journée. Les marchands et les pèlerins vont aujourd'hui tranquillement leur chemin. Je devrais être à les piller et ils s'en iront sans encombre! Par saint Rémy! J'aimerais mieux ne jamais vous voir vous confesser

115 que de penser qu'ils passent en toute tranquillité!

Les chevaliers voient bien qu'il n'y a rien à en tirer : ils entrent dans la chapelle, s'approchent de l'autel et parlent au saint ermite; chacun fait sa confession, le plus sincèrement, mais aussi le plus brièvement qu'il

120 peut. Le saint ermite les absout très humblement, mais à condition qu'ils s'abstiennent, désormais, de toutes leurs forces, du péché. De tout cœur, ils le lui promettent, puis le supplient doucement :

— Sire, notre maître est là dehors; appelez-le pour

125 l'amour de Dieu, car il ne veut pas venir pour le nôtre. Mais il se pourrait faire qu'il vienne à votre prière et en vous voyant. Qui pourrait si bien faire et dire qu'il le ramène à Dieu, celui-là n'aurait point perdu sa journée. Ce matin, au point du jour, notre sire*

130 voulait à toute force manger de la viande. Il nous attend devant le porche. Il ne veut point entrer pour notre amour, mais il viendra sûrement pour le vôtre.

8. Attitude d'orgueil et de dédain.

— Certes, dit le prud'homme*, j'en doute fort. Je veux bien essayer, mais je n'ai pas confiance.

¹³⁵ Le saint homme sort, s'appuyant sur son bâton, et dit doucement au seigneur :

— Sire, soyez le bienvenu. Aujourd'hui on doit renoncer à tout mal, se repentir, se confesser et doucement penser à Dieu.

¹⁴⁰ — Pensez-y si vous voulez, je n'y penserai point, dit le seigneur.

L'ermite l'entend : il n'a pas de colère; très humblement il se met à lui dire :

— Descendez, cher beau* sire. Puisque vous êtes ¹⁴⁵ chevalier, vous devez avoir un noble cœur. Je suis prêtre : je vous demande, par Celui qui souffrit la mort pour notre salut et s'offrit pour nous sur la croix, de venir causer un peu avec moi.

— Par le diable! et de quoi? Qu'avons-nous à faire ¹⁵⁰ ensemble? Je suis pressé de m'en aller, loin de vous et de votre logis. Mieux m'irait un oison bien gras!

— Sire, je veux bien vous en croire. N'en faites rien pour moi, mais seulement pour Dieu.

— Vous insistez par trop, dit le seigneur. Quand ¹⁵⁵ même j'entrerais, je ne ferais prière, oraison ni aumône.

— Mais vous verriez ma maison, ma chapelle, mon ermitage.

— J'irai... Mais il est entendu que je ne ferai point d'aumône, ni ne dirai de patenôtres*?

¹⁶⁰ — Sire, entrez toujours. Si vous ne vous plaisez pas chez moi, vous vous en irez.

— Allons, vous ne me laisserez pas tranquille aujourd'hui, répond-il.

Il descend de cheval en grand ennui :

¹⁶⁵ — Au diable, dit-il, cette idée de venir ici! Pourquoi donc me suis-je levé si matin?

Dans quel état d'esprit le chevalier accepte de se confesser.

L'ermite le prend par la main. Tout doucement, il l'entraîne et le fait entrer dans la chapelle; il se trouve devant l'autel :

¹⁷⁰ — Sire, dit le saint homme, il n'y a plus à reculer, vous voilà mon prisonnier, et je ne vous lâcherai pas que vous ne m'ayez parlé. Coupez-moi le cou, si vous voulez, mais, quoi que vous fassiez, vous ne m'échapperez pas que vous ne m'ayez conté votre manière ¹⁷⁵ de vivre.

L'autre, qui est un méchant, lui répond, plein de colère :

— Certes non! Laissez-moi m'en aller, car vous n'entendrez rien de moi.

180 — Non, sire, vous ne vous en irez pas. Mais, s'il vous plaît, dites-moi votre vie et les péchés dont vous êtes souillé. Je veux connaître le tréfonds de votre être.

— Certes non, sire prêtre, vous ne saurez rien de
185 moi. Je ne suis pas si fou que d'aller raconter quelque chose pour l'amour de vous!

— Non, mais pour l'amour du Dieu glorieux. Vous allez tout me dire et j'écouterai.

— Jamais. M'avez-vous fait venir ici pour cela? J'ai
190 grande envie de vous tuer. Le monde serait délivré de vous. Vous êtes un sot, un fou, vous qui par force voulez me faire parler. Vous insistez par trop pour me soutirer une confession dont je n'ai que faire!

— Vous vous confesserez, bel ami. Que le Dieu qui
195 fut mis en croix vous mette en vraie pénitence et vous donne assez de repentir pour bien connaître vos péchés. Je vous écoute : commencez.

Le brutal, qui était méchant et cruel, jeta un tel regard sur le saint homme que celui-ci eut grand peur
200 et s'attendit à être frappé. Mais il voulait tout tenter : il se remémorait la sainte Écriture, et, très doucement, il lui dit :

— Frère, par le Dieu tout-puissant, dites-moi un seul péché. Si vous commencez une fois, je sais bien
205 que Dieu vous aidera à ramener votre vie dans la droite voie.

— Non, non, vous n'entendrez pas.

— Si, vraiment.

— Non, vraiment.

210 — Si.

— Non, nous serons ici à la nuit close, mais je ne veux rien dire.

— Écoutez donc, à la fin! Je vous conjure au nom de Dieu et de sa vertu infinie! C'est aujourd'hui jour
215 où Dieu s'offrit pour nous et souffrit mort en croix. Je vous adjure, par cette mort qui a ruiné et détruit l'Ennemi*, par les saints, les saintes et les martyrs, de laisser votre cœur céder. Dites-moi tous vos péchés. Je vous l'ordonne, ne tardez plus.

220 — Vous me contraignez vraiment, dit le seigneur, qui céda, si confus et si stupéfait de le faire qu'il en était tout honteux. Comment avez-vous pu m'y conduire de force? Eh bien! oui, je vous les dirai, puisque c'est impossible autrement; je vous les dirai malgré moi,
225 mais vous n'en aurez rien de plus.

Alors, tout d'affilée, en grande colère, il se met à lui raconter ses péchés, un par un, sans en cacher un seul. Et quand il eut fini sa confession, il dit au saint homme :

— Je vous ai tout dit, êtes-vous maintenant plus
²³⁰ avancé? En êtes-vous plus gras? Vous ne m'auriez jamais lâché, je gage, que je n'eusse dit tout ce que j'avais fait. Eh bien! c'est fini, qu'en résulte-t-il? Allez-vous me laisser en paix maintenant? Puis-je à présent m'en aller? Je ne demande qu'à ne plus vous parler ni vous
²³⁵ revoir de mes yeux. Vous m'avez vaincu sans m'avoir blessé, vous qui m'avez forcé à tout dire.

La pénitence imposée : un barillet à remplir.

L'ermite n'a pas envie de rire, mais il pleure très tendrement sur cet homme qui ne se repent pas.

— Sire, dit le prud'homme*, vous avez bien dit vos
²⁴⁰ péchés, mais tout cela sans repentance. Si vous vouliez maintenant faire pénitence, vous me satisferiez beaucoup.

— Non, dit-il, en voilà assez! Vous voulez maintenant me faire repentir! Au diable qui s'en soucie et veut que
²⁴⁵ je me repente!... Voyons donc, si je voulais me repentir, quelle pénitence me donneriez-vous[9]?

— Celle que vous voudriez, certes.

— Dites-la donc.

— Volontiers, sire : pour effacer tous vos péchés,
²⁵⁰ vous jeûneriez un peu de temps, tous les vendredis pendant sept ans.

— Sept ans? Ah! non.

— Trois?

— Non vraiment.
²⁵⁵ — Tous les vendredis d'un mois?

— Taisez-vous donc, je n'en ferai rien. C'est chose impossible pour moi.

— Alors, allez déchaux* une seule année.

— Non, par saint Abraham!
²⁶⁰ — Allez en chemise de laine, sans linge de toile.

— Non, ma chair serait vite déchirée et mangée de vermine.

— Alors, frappez-vous chaque matin d'une baguette.

— Très mauvaise idée. Je ne veux pas me faire du mal,
²⁶⁵ ni battre ou frapper ma chair.

— Eh bien! allez en pèlerinage outre-mer[10].

— Non, cet ordre est trop dur. Taisez-vous, vous perdez votre temps. Il y a trop de péril sur mer.

— Allez à Rome, ou à Saint-Jacques[11].
²⁷⁰ — Je n'irai point, sur mon âme!

9. Noter la contradiction intime où se débat le mécréant. Insensiblement pourtant, Dieu s'empare de cette âme en proie à l'Ennemi. 10. En Palestine. 11. *Saint-Jacques-de-Compostelle* en Espagne.

— Allez chaque jour à l'église, assistez au service divin, mettez-vous à genoux le temps d'un Pater ou d'un Ave, pour que Dieu vous donne le salut.

— C'est trop de souci. Toutes ces histoires-là ne
275 servent à rien.

— Alors, vous ne ferez rien de bon?... Si, vous ferez quelque chose de bon, si Dieu y consent et si vous le voulez, avant de me quitter. Faites simplement ceci : pour l'amour de Dieu, le roi tout-puissant, descendez
280 mon barillet* jusqu'à ce ruisseau et puisez à la fontaine. Cela ne vous donnera pas grand mal; et si vous me le rapportez tout plein, quitte et franc soyez-vous de vos péchés et de toute pénitence. Et ne vous préoccupez plus de rien. Je prends tous vos péchés sur moi. Votre
285 pénitence aura suffi.

Ainsi parla l'ermite et il sourit.

— Ma foi, dit le chevalier, j'y consens, cela ne me donnera pas grand mal d'aller à cette fontaine. Voilà une pénitence qui sera vite faite.

290 L'ermite lui tend le barillet, et lui le saisit d'un geste rapide, comme une chose de peu d'importance :

— Allons, dit-il, je le prends à telle condition, que je ne me reposerai jamais que je ne vous l'aie rendu plein.

295 — Et c'est à telle condition que je vous en charge, ami.

Il arrive près de la fontaine, et y plonge à plein le barillet : pas une goutte d'eau n'y pénètre. Il essaie dans tous les sens, mais en vain. Peu s'en faut qu'il
300 n'en perde la raison : il commence à entrer en rage, à jurer le nom de Dieu. Il croit qu'on a bouché le barillet; il fait entrer un bâton dans l'ouverture et il le trouve tout vide. L'orgueilleux, en grande colère, replonge le barillet dans la fontaine pour le remplir : pas une goutte
305 d'eau n'y entre.

— Qu'est-ce que cela, dit le chevalier en jurant, n'entrera-t-il pas de quoi remplir ce barillet?

Il le remet dans l'eau, mais — quoiqu'il risque d'y perdre la tête — pas une goutte d'eau n'y entre. Et lui,
310 grinçant des dents d'angoisse, se lève en grande colère et retourne vers l'ermitage.

Par orgueil, le chevalier décide de courir le monde jusqu'à ce que le barillet se remplisse.

Il dit son aventure à l'ermite et à ses hommes et il jure, au nom des saints de Dieu :

— Je n'ai pas une goutte d'eau, et, cependant, j'ai

³¹⁵ fait ce que j'ai pu. J'ai beau faire, rien n'entre dans ce barillet. Mais, par Celui qui créa mon âme, je n'aurai un moment cesse ni repos, ni jour ni nuit, avant que j'aie rapporté ce barillet tout plein!

Puis il appelle l'ermite :

³²⁰ — Vous m'avez mis en grand tourment, avec votre barillet du diable. C'est le diable qui l'a charpenté et cerclé! Mais pour lui je prendrai telle charge, que jamais, jamais je ne me laverai la tête, ne me ferai peigner les cheveux, raser la barbe, couper les ongles avant d'avoir ³²⁵ rempli ma promesse. Je m'en irai à pied, sans argent — pas même avec un denier* — sans pain, sans rien dans mon sac!

L'ermite l'entend. Il pleure tendrement :

— Sire*, dit-il, vous êtes né pour un triste sort : ³³⁰ comme votre vie est amère! Certes, si un enfant avait plongé ce barillet dans le ruisseau, il l'en eût retiré tout plein. Et vous n'avez même pas une goutte d'eau! Malheureux, c'est à cause de vos péchés! Dieu est en courroux contre vous. Il veut, dans sa pitié, que vous ³³⁵ fassiez pénitence, que vous châtiiez votre corps pour lui. Ne vous emportez pas, mais servez Dieu humblement.

Et l'autre de répondre, en colère :

— Ce n'est pas pour Dieu que je le fais, mais par ³⁴⁰ orgueil, par courroux et folie. Ce n'est pour Dieu, ni pour personne.

Il dit à ses hommes, d'un ton farouche :

— Allez-vous-en. Ramenez mon cheval. Restez tranquilles chez vous et si quelqu'un vous parle de moi, ³⁴⁵ dites-lui que vous n'en savez rien du tout. Restez tranquilles et vivez à votre guise. Quant à moi, je suis celui qui n'aurai jour sans peine ni douleur, à cause de ce barillet du diable. Le feu et la flamme d'enfer puissent le brûler! Il a dû appartenir aux diables, ³⁵⁰ qui l'ont, je gage, enchanté. Mais, en vérité, je vous le dis, je tenterai toutes les eaux du monde et je le rapporterai plein à cet homme!

Par grande misère le chevalier court le monde.

Sans retard, il s'en va, le barillet pendu au cou. Il s'en va, et sachez qu'en vérité il n'emporta sur lui quoi ³⁵⁵ que ce fût, qu'on estimât quatre fétus, à part les habits dont il était couvert. Tout seul, il se met en route et nul, sinon Dieu, ne l'accompagne. Et sachez que ce sont des privations qui l'attendent, nuit et jour, soir et matin, puisqu'il s'en va en pays étrangers. Il n'aura plus ses

Il va par le froid, par le chaud...

Bibliothèque Nationale

(Les romans de Merlin, de Robert de Borron, XIIIᵉ siècle).

360 aises et ses plaisirs passés, mais dur gîte, pauvre lit, maigre pain et froide cuisine. Pauvreté sera sa compagne. Il aura souvent peine et labeur : route par le froid, route par le chaud.

A chaque eau qu'il rencontre, il éprouve son barillet, 365 mais en vain : goutte n'y entre. Et chaque jour, le chevalier devient plus furieux.

Sa grande colère le tint près d'une demi-semaine, pendant laquelle il ne songea pas à manger et n'en eut même pas le désir, tant la colère l'enflammait. Mais 370 quand il sentit la faim l'assaillir sans qu'il pût s'en défendre, alors force lui fut de vendre sa robe et de l'échanger contre une pauvre souquenille, misérable et déchirée et bien honteuse pour un tel homme.

Il va par la pluie, il va par le vent, et son visage, qui 375 était bel et vermeil, est tout changé : il devint noir et perdit son teint. A chaque eau que le chevalier rencontre, il jette et rejette son barillet : il ne peut recueillir goutte. Et il en souffre et il en rage.

Ses chaussures durèrent peu : elles furent vite déchirées 380 et perdues. Il passa maintes vallées et maintes terres, pieds déchaux*.

Il va par le froid, par le chaud, à travers les lieux incultes, les ronces, les épines; de maints endroits, le sang lui coule. Sa chair est toute déchirée. Il a grande 385 peine et grande douleur, mauvais jours et mauvaises nuits. Il est pauvre, il est mendiant : on se raille de lui et on l'insulte. Il n'a ni robe* ni toit. De logis, il n'en peut trouver. Il ne rencontre que gens méfiants, cruels et méchants qui, le voyant si nu, si grand, si fort, si bien 390 musclé, si laid, si blême, si mal vêtu, ont tous peur de l'héberger. Souvent il passe la nuit en plein champ.

Pour lui, tout dénué, ni chant, ni rire, mais âpre peine et grande colère. Pourtant, il ne peut s'humilier, ni amollir son misérable cœur. Il se plaint à Dieu de la 395 misère qu'il éprouve. Mais c'est pour s'en étonner, non pour se repentir.

Quand il eut dépensé tout l'argent obtenu par la vente de ses habits, il ne sut où trouver du pain. Pour manger, il apprend à mendier.

400 Et tout devient pour lui dur et difficile; jamais il n'aura plus d'aise, mais misère tant qu'il vivra. Souvent, il jeûne deux ou trois jours. Quand il souffre tant qu'il ne peut supporter la faim, alors il s'en va, en grande colère, à la recherche d'un morceau de pain. Et puis, 405 après, il erre longuement.

Il erra ainsi à travers tout le Poitou, le Maine, la Touraine et l'Anjou, la Normandie et la France[12], la

12. L'Ile-de-France.

61

Bourgogne et la Provence, l'Espagne et la Gascogne, la
Hongrie et la Maurienne, la Calabre, la Pouille et la
⁴¹⁰ Toscane, la Lorraine et l'Auxois. Partout il met son
corps à l'épreuve. Que vous dire? Je perdrais le jour à
vous conter sa grande détresse. Mais je puis vous dire,
en un mot, qu'entre la mer qui clôt la terre anglaise
jusqu'à Barcet¹³ qui sied sur la mer, je ne saurais terre
⁴¹⁵ nommer qu'il n'ait parcourue ou traversée, bâton en
main, ni rivière qu'il n'ait tentée, ni ruisseau, ni fontaine,
eau fangeuse ou eau claire, où il n'ait plongé son baril.
Mais il n'en a puisé goutte. Il y a mis tout son pouvoir.
Sa colère croît toujours et se renforce.
⁴²⁰ Et dans sa peine, qu'il eut si forte et si lourde, une
chose étonnante lui advint : jamais, en aucun lieu, il ne
trouva homme qui lui parlât bien, ni qui jamais le
secourût. Mais tout le monde le hait, l'injurie et se raille
de lui, partout, à la campagne, à la ville. Et lui pour
⁴²⁵ l'insulte qu'on peut lui dire, il ne daigne se fâcher, ni
maudire personne, car il n'estime personne : il hait
et méprise tout le monde.

Que vous dirai-je? Tant il alla, en haut, en bas, de-ci
de-là, il fut si brisé en son corps, si las, si abattu qu'à
⁴³⁰ grand-peine l'eût reconnu quiconque l'avait vu jadis.
Il avait de longs cheveux, tombant tout épais et mêlés
sur ses épaules, il était décharné et velu, les sourcils
gros, les yeux caves, les bras longs et maigres, tout
hâlés par le soleil, les flancs décharnés, la peau sur les
⁴³⁵ os, les veines saillantes sous la peau; on lui voyait veines
et nerfs depuis les pieds jusqu'aux aines. Il n'avait
manche ni mancheron, cape ni caperon, tissu ni toile;
mais un corps noirci et blême sous le hâle. De plus, si
faible et si las qu'il pouvait à peine se soutenir et il lui
⁴⁴⁰ fallait s'appuyer sur un bâton.

Le barillet le blessait fort, qu'il avait à son cou porté
toujours, sans arrêt jour ni nuit.

Le chevalier retourne à l'ermitage.

Il finit par se décider à revenir en arrière. L'ermite ne
rira pas en le voyant; il pleurera.
⁴⁴⁵ Alors, il se met en route, appuyé sur un bâton, et
gémissant souvent tout bas.

Il arrive à l'ermitage au bout de l'année, le jour même
où il avait quitté le lieu sacré, le jour du Vendredi-Saint,
et il arriva fait comme j'ai dit.
⁴⁵⁰ Il entra tout douloureux dans l'ermitage. L'ermite,
qui était tout seul, et ne pensait point à lui, le regarde
avec étonnement. En le voyant ainsi fait, si mal équipé,

13. Inconnu. Gaston Paris sug-
gère qu'il s'agit de *Barletta*
(Adriatique).

si épuisé, il ne le reconnut en rien, mais il reconnut le
baril qui pendait au cou du voyageur, car il l'avait vu
155 maintes fois. Et le saint homme dit au voyageur :

— Beau* doux frère, quel besoin ici vous amène?
Qui vous chargea de ce baril que je connais bien? Voici
un an que, sans obstacle, je le confiai au plus bel homme
qui fût dans l'empire de Rome, au plus fort, ce me
160 semble. Je ne sais s'il est mort ou vif, jamais il ne revint
ici. Mais dis-moi donc par ta merci qui tu es et quel est
ton nom? Je ne vis jamais si pauvre homme que toi,
ni si misérable. On dirait à te voir ainsi, pauvre et nu,
que les Sarrasins t'ont tenu prisonnier. Je ne sais d'où
165 tu viens, mais tu as dû trouver de méchantes gens.

Et le chevalier de répondre en grande rage, car il est
toujours en grand courroux :

— Beau* sire*, c'est vous qui m'avez mis si mal en
point.
170 — Moi? Comment cela? Je crois ne t'avoir jamais
vu. En quoi donc ai-je pu mal agir envers toi? Dis-le
donc, je le réparerai, si je le puis.

— Sire, je vais vous le dire. Je suis celui que vous avez
confessé voici un an aujourd'hui. Et vous me chargeâtes
175 comme pénitence de ce barillet, qui est cause du
misérable état où vous me voyez.

Et il se met à lui raconter toute l'histoire de ses
voyages : il lui parla des pays, terres et lieux qu'il a
traversés, de la mer, des rivières, des eaux grandes et
180 plénières où il a essayé le barillet :

— Sire, fait-il, j'ai tout tenté, j'ai jeté partout votre
baril, mais il n'y entra jamais goutte, ni pour le plus,
ni pour le moins. Je sais bien maintenant que je vais
mourir, car je ne peux plus vivre.
185 L'ermite l'entend : il se met en grande colère et, tout
courroucé, lui dit :

— Misérable! tu es pire que Sodomite[14], chien, loup
et autres bêtes. Par les yeux de ma tête, je gage qu'un
chien qui l'eût tant traîné, par tant d'eaux et de gués,
190 eût fini par le remplir, et toi, tu n'en as pas une goutte!
Je vois bien que Dieu te hait. Ta pénitence ne sert à rien,
car tu l'as faite sans repentance, sans amour, le cœur
non contrit.

L'ermite pleure et prie.

Alors l'ermite se met à crier, à pleurer et à se tordre
195 les mains; et son cœur était si plein de douleur qu'à
haute voix il s'écria :

— Dieu qui sais tout, qui peux tout, qui vois tout,

14. Qu'un habitant de *Sodome*,
la ville corrompue dont parle
la *Genèse*.

63

regarde cette créature qui s'en va à male aventure, qui
corps et âme a tout perdu et tout perdu pour rien.
500 Sainte Marie, mère, prie Dieu, ton Fils et ton Père,
que dans sa douceur il regarde cet homme et le voie
avec des yeux miséricordieux! Mon Dieu! si j'ai jamais
rien fait de bon, doux Dieu, et chose qui vous plût, je
vous prie à présent que vous fassiez miséricorde à cet
505 homme, car, s'il meurt par ma faute, il m'en faudra
rendre raison! Le chagrin m'en sera trop dur! Dieu,
si tu prends l'un de nous, laisse-moi de côté et prends
cet homme!

Et il pleurait très tendrement. Et le chevalier, qui ne
510 disait mot, le regarda longuement. Tout bas, sans que
nul l'entendît, il se disait :

— Certes, voici une grande merveille, dont mon cœur
s'étonne fort. Cet homme, qui ne m'appartient pas,
qui ne tient à moi par aucun lien, sinon par Dieu le
515 souverain Seigneur, cet homme est brisé pour moi!
Pour mes péchés, il pleure et soupire. Certes je suis le
pire et le plus grand des pécheurs, puisque cet homme
a si grand amour pour mon âme, qu'il se met en tel état
pour mes péchés! Et moi qui suis si souillé, je n'ai pas
520 en moi assez d'amour pour avoir pitié de lui!

Et il est très ému :

— Ah! très doux Dieu, si vous voulez, donnez-moi
tant de repentance, par votre vertu et votre puissance,
que soit consolé ce prud'homme*, qui tant se désole à
525 cause de moi! Le baril me fut donné pour mes péchés
et pour mes péchés je le pris. Doux Dieu, j'ai mal fait.
Vrai Dieu, je m'en accuse devant vous. Je vous crie
miséricorde, roi miséricordieux! Faites de moi selon
votre volonté, je suis prêt!

*Dieu libère de son orgueil le chevalier qui, d'une larme, remplit
le barillet.*

530 Et Dieu maintenant travaille : il vide et débarrasse
le cœur de l'homme d'orgueil et de toute dureté et
l'emplit tout d'humilité. Le chevalier pousse de si grands
soupirs qu'il semble à chaque instant que son âme va
sortir de son corps. Sa repentance est si grande que son
535 cœur se fût rompu, s'il n'avait éclaté en larmes. Si grande
douleur au cœur le touche qu'il ne peut ouvrir la bouche,
mais il promet en son âme à Dieu de ne jamais plus
commettre de péchés et de ne plus l'offenser. Et Dieu
voit bien qu'il se repent.

540 Le barillet à son col pend, le barillet qui lui a donné
tant de peine, mais il est encore vide. Le chevalier n'avait

point d'autre désir que de remplir le barillet. Et Dieu, qui voit son désir et qui veut l'aider, lui fait une grande courtoisie[15] (Dieu fit-il jamais vilenie?).

545 Écoutez donc ce que fit Dieu pour consoler son ami : il fit monter l'eau de son cœur, à grande détresse, jusqu'à ses yeux, et une grosse larme, que Dieu fit jaillir de bonne source, tomba comme un trait de flèche tout droit dans la bonde du barillet. Et l'histoire nous

550 conte que le barillet fut si rempli de cette larme que l'eau sortit en bouillonnant.

L'ermite se jeta aux pieds du chevalier et baisa ses deux pieds nus.

— Frère, dit-il, doux ami*, te voilà délivré de l'enfer.
555 Tu ne seras plus jamais souillé. Dieu t'a pardonné tes péchés.

Le chevalier meurt dans la repentance.

Le chevalier en a une telle joie que jamais homme au monde, je le gage, n'en a ressenti de pareille. Il pleure abondamment. Puis il appelle le saint ermite
560 et lui dit sa volonté :

— Père, je suis à vous. Père, vous m'avez comblé de tous biens. Ah! très doux père, si je pouvais, je resterais volontiers avec vous. Certes jamais je ne m'en irais, mais je vous servirais ici pour l'amour de Dieu!

565 « Voici un an, je vins ici, fol et insensé, comme vous le savez, très doux père. Je vous contai tous mes péchés en grande colère, tout courroucé, sans repentance et sans amour. Je veux vous les redire en grande crainte et grande dévotion : que ce soit à cette condition que le
570 Dieu qui est et qui sera toujours prenne mon âme en son paradis.

— Beau doux ami, dit l'ermite, que Jésus-Christ soit adoré pour t'avoir donné tel courage. Dis-les donc, je t'absoudrai : je suis tout prêt.

575 Et lui commença sa confession, de cœur sincère, mains jointes, tout en pleurs, soupirant souvent du fond du cœur. Les larmes lui coulaient abondamment des yeux.

Quand le prud'homme* vit qu'il avait achevé ses
580 aveux, il lui donna l'absolution. Puis le chevalier désirant recevoir le saint corps de Jésus-Christ, l'ermite lui peignit la bonté du Sauveur :

— Doux fils, voici ton salut, ta vie et ta santé. Le crois-tu?

585 — Oui, beau cher père! je crois que voici mon

15. Dieu étant pour le chevalier le *suzerain suprême*, comme la Vierge est la *dame* par excellence.

Sauveur, celui qui peut nous sauver tous. Hâtez-vous,
car je vais mourir.

L'ermite se hâta de lui donner le corps de Dieu.
Quand le chevalier eut communié, il était si pur qu'il
590 ne lui restait goutte ni lie de péché ou folie. Alors, il
appela le saint ermite et lui dit sa volonté :

— Père, dit-il, je vois bien que je vais mourir. Priez
pour moi. Je ne peux plus demeurer sur terre, il me faut
une autre demeure; très doux père, je vous recommande
595 à Dieu, et je vous demande, à la fin, de mettre vos bras
autour de mon cou, pour que je meure dans les bras de
mon ami.

L'ermite, très doucement, l'a pris dans ses bras. Le
chevalier s'étend à terre. Il gît devant l'autel. Tout son
600 cœur est revenu à Dieu. Le baril est sur sa poitrine;
il ne veut pas qu'on le lui ôte. Mort ou vif, il veut le
porter. Sur son cœur gît sa pénitence. Un fleuve de
repentance lui a donné un coup si violent que Dieu
lui a pardonné tout péché et remis toute peine. Le corps
605 souffre et le cœur peine : il lui faut mourir, il faut que
l'âme s'en aille. Elle est si claire et si pure qu'il ne lui
reste aucune tache. Elle se détache du corps, elle le
quitte et les saints anges, qui étaient auprès du corps,
l'ont reçue.

610 L'âme est bien heureuse, car les saints anges l'ont
saisie. Elle est sortie en grand péril, car l'Ennemi*
l'attendait qui comptait bien l'avoir, qui en était tout
convaincu, et qui s'en va tout déconfit.

Et le prud'homme* voit tout cela, d'un bout à l'autre,
615 car il est surnaturel. Il voit de ses yeux les anges emporter
l'âme avec eux. Lui déposa à terre le corps nu et
déchaux*, couvert d'une pauvre couverture.

Grâces rendues à Notre-Seigneur.

Écoutez l'aventure qui advint pour finir. Les chevaliers,
qui jadis étaient avec le seigneur et à qui il fit tant de
620 tourments, vinrent à l'ermitage pour prier, comme c'était
justice, le jour du Vendredi-Saint, un peu avant midi.

Les chevaliers, donc, entrèrent dans l'ermitage. Ils
virent leur seigneur mort et le reconnurent à sa stature,
à son corps et à tout son extérieur. Ils donnèrent tous
625 leurs soins au corps, mais ils étaient troublés, parce qu'ils
ne savaient pas si la fin de leur seigneur avait été bonne
ou mauvaise, et chacun se désolait. L'ermite les récon-
forta, et leur dit la vérité. Il leur conta tout, d'un bout
à l'autre; il leur dit l'heure et le moment où il fut
630 confessé et repentant et comment son âme fut ravie

en l'éternelle vie. Les chevaliers en eurent grande joie, l'ensevelirent très bellement, et le mirent en terre après la messe.

Quand ils eurent bu et mangé, ils prirent congé du saint homme, et retournèrent chez eux. Ils racontèrent ce qu'ils savaient de leur seigneur. Ceux du pays en eurent grande joie et grande pitié et rendirent grâces à Notre-Seigneur.

35

---

1. Où trouve-t-on, dans ce conte, du « merveilleux » ?
2. Quel est l'adversaire contre qui le chevalier doit lutter ? — Quelle question se pose-t-on à partir de sa première confession ? — Qui amènera le dénouement ?
3. Où se manifestent chez le chevalier : l'orgueil ? le plaisir de mal faire ? l'esprit de raillerie ? la volonté de défier ? l'impiété sacrilège ? Quel langage emploie-t-il avec l'ermite dans sa première entrevue ? — Quel effet produit le contraste entre son portrait physique et son portrait moral ? — Quand montre-t-il du courage, de la ténacité ?
4. Comment, d'épisode en épisode, son caractère se précise-t-il ou se modifie-t-il ? A quel moment peut-on penser que pour la première fois se manifeste, d'ailleurs à son insu, l'intervention divine ? Où voit-on la grâce divine cheminer en lui avec ses détours ? avec ses progrès ? Où montre-t-il de l'attention ? de l'étonnement ? de l'émotion ? de l'humilité ? un repentir sincère ? — Quelle expression saisissante traduit l'empressement de Dieu à reconquérir une âme perdue ?
5. Quels traits indiquent le caractère de sainteté de l'ermite ? — Comment se conduit-il avec le chevalier à sa première entrevue ? — Comment l'accueille-t-il à son retour, pourquoi se met-il d'abord en colère ? — Pourquoi est-ce lui qui se jette aux pieds du chevalier une fois le barillet rempli ?
6. Quelle est, aux divers moments, l'attitude des autres chevaliers à l'égard de leur seigneur ?
7. Dans quels traits trouve-t-on mêlées la tendresse humaine et l'émotion religieuse ?
8. Quelle impression laisse la conclusion, après l'horreur de la plus grande partie du récit ?

****

Merlin

(ou Du vilain[1] qui devient riche et puis pauvre.)

Jadis vivaient deux paysans qui gagnaient leur vie à vendre du bois. Ils étaient bien pauvres, mais Dieu, qui aide le pauvre monde, les soutenait avec peu. A qui pauvre est en toute chose, les petits biens semblent
5 très grands. Ils prenaient en gré les petits biens, eux qui ne savaient rien des grands.

Chacun d'eux avait un âne, et on leur permettait d'aller couper des branches dans un bois. Tous les jours, ils chargeaient leur âne, mais ils ne gagnaient guère
10 qu'un denier*.

Chacun d'eux avait une maisonnette, et ils étaient mariés tous deux. L'un avait un fils et une fille; il avait donc plus de besoin que l'autre, qui n'avait point d'enfants. Il gagnait plus volontiers, et il épargnait à
15 son pouvoir, pour nourrir ses deux enfants.

Les deux âniers allaient toujours ensemble au bois, et ensemble s'en retournaient, comme voisins qui s'entr'aimaient.

Ils menèrent longtemps cette vie; un jour, ils allèrent
20 au bois pour travailler, mais il tombait ce matin-là tant de neige, et il gelait si fort qu'il était difficile de faire quoi que ce fût. L'un d'eux, cependant, se mit tout de suite au travail et coupa sa charge de bois. L'autre, celui qui avait des enfants, ne put tenir sa serpe, tant
25 le froid lui faisait mal, et cacha ses deux mains dans son sein. Le premier, ayant fini de charger, s'en retourna. L'autre essaya de couper du bois, mais en vain. Alors, tout gémissant, il se mit à dire[2] :

« Las! que vais-je devenir? Je ne peux jamais jouir
30 d'un seul jour de paix! C'est pourquoi je prie Dieu de faire que ma mort soit proche! Que je puisse seulement me confesser avant! Pauvre vilain, triste que je suis!... Vraiment, je languis en cette vie qui ne plaît à personne! Dure est l'heure où naît le vilain*. Quand le vilain naît,
35 il n'y a peine qui ne l'attende pour son malheur. Pour le malheur je suis né, vilain vieux, vilain pauvre, plein de souffrance et de chagrin... Il va me falloir jeûner aujourd'hui, et toute ma maison avec moi. Mes enfants, ma femme le savent bien, quand c'est jour de fête[3],
40 ou quand je n'ai rien pu gagner; ils n'ont ces jours-là rien à manger... Mes enfants me tendent les mains, ils pleurent et meurent de faim, si je n'ai point de pain à leur donner. Et leur mère arrive de son côté : elle m'attaque, m'injurie et me regarde de travers, en femme

1. *Vilain* est substantif (cf. : le vilain mire, p. 25). Petit poème du XIIIᵉ siècle en octosyllabes. Le récit, tel qu'il est présenté dans le poème, est alourdi de digressions et de réflexions morales, dont nous l'allégeons bien souvent. **2.** Toutes proportions gardées, entre les plaintes du vieux poète et l'admirable fable de La Fontaine, ne peut-on rappeler ici le début de *la Mort et le Bûcheron?* **3.** L'ouvrier ne travaillait point les jours de fête. (Le savetier de La Fontaine s'en plaignait).

⁴⁵ dont c'est l'habitude. Et c'est moi, malheureux, qui suis le coupable : je reste devant eux comme un coq mouillé, tête basse et tout ahuri, ou comme un chien battu. C'est pourquoi je demande à Dieu la mort, car cette souffrance me déchire. »

⁵⁰ Tandis qu'il se lamentait, et battait sa poitrine à deux mains, il entendit près de lui une voix, qui disait :

« Qui es-tu?

— Je suis un pauvre vieil homme, las et désolé, qui naquit loin de tout bien, un malheureux comme il
⁵⁵ n'y en a pas, le plus misérable de tous... Que Dieu me conduise à ma fin! Ce sera aumône et bonté de sa part, car je hais ma vie à mort, et je la hais avec raison... Qui êtes-vous donc, beau sire*?

— Je suis Merlin⁴, un prophète et un devin. J'ai eu
⁶⁰ pitié de toi, et je vais te traiter en telle amitié que je te rendrai riche pour toujours, si tu veux servir de tout ton cœur Jésus-Christ et ses pauvres. Je vais te donner tant d'or et tant d'argent que tu ne manqueras jamais de rien; et Dieu te récompensera à la fin, si tu sais utiliser
⁶⁵ mes dons. Tu connais la pauvreté. Elle t'a causé douleur assez et grande honte. Promets donc que, si tu es comblé de biens, tu aimeras les pauvres. Tu verras bien si tu les aimes, en les entendant se lamenter. Le malade qui devient sain sait bien ce qu'il faut aux malades⁵.
⁷⁰ — Messire Merlin, sachez-le bien, si je recevais de grands biens, je n'oublierais ni Dieu, ni les pauvres. Je tiendrais mes richesses comme en baillie⁶, et je ferais tout le bien que je pourrais.

— Vraiment?

⁷⁵ — Oui, messire, je vous le dis bien loyalement, et vous le promets, en vérité.

— Je reçois ta promesse. Je verrai comment tu la tiendras, car je vais te mettre hors de peine. Va au bout de ton courtil⁷. Sous le tronc d'un sureau, tu trouveras
⁸⁰ un grand trésor. Creuse à gauche de l'arbre, et tu verras quantité d'or et d'argent, que tu utiliseras à ton gré. Va-t'en, sers-toi sagement de tes richesses, et garde mon commandement. Et, d'aujourd'hui en un an, reviens ici vers moi, pour me rendre compte de ce que
⁸⁵ tu auras fait de ton avoir et de ta vie. Garde-toi de l'oublier. »

La voix se tut. Le vilain, joyeux, quitta la forêt, ramenant son âne, sans l'avoir chargé.

En le voyant revenir sans bois, sa femme ne put se
⁹⁰ tenir de crier : « Gueux! Fainéant! que mangeront aujourd'hui tes enfants? Je vais te laisser là avec eux,

4. *Merlin l'enchanteur* joue un rôle très important dans les romans du cycle breton. La légende en fait le conseiller du roi Arthur, un sorcier et un devin. **5.** Nous changeons le texte original; on lit : « Le sain qui devient malade sait bien ce qu'il faut au malade ». La pensée semble plutôt devoir être celle que nous indiquons. **6.** Comme en simple administration, pour le compte d'un maître. **7.** Jardin.

Tous les jours ils chargeaient leur âne,
mais ils ne gagnaient guère qu'un denier...

(*Très Riches Heures du Duc de Berry*. Février : détail.)

Archives Photographiques

et je te quitterai, comme un failli[8] que tu es, ennemi de Dieu et des hommes! »

Lui se mit à sourire, et dit : « Dame*, vous êtes ma mie[9] et ma femme. N'ayez pas tant d'assurance. En peu de temps Dieu travaille. Laissez-moi la paix, vous ferez bien. Quand le moment sera venu, Dieu me conseillera.

— Vous conseillera? Comment donc? Je veux le savoir tout de suite! Ne me celez rien. Avez-vous trouvé quelque bourse ou rêvé de trésor? Je n'ai aujourd'hui ni bu ni mangé, et mes enfants non plus, ce qui me peine plus encore. Pour moi seule, je ne ferais pas tant de bruit, mais je n'ai ni sou, ni maille[10], ni chose que je puisse mettre en gage. Et nous sommes dans un grand besoin. Que voulez-vous donc dire? Je veux le savoir. »

A force de le tracasser, elle obtint qu'il lui racontât ce que la voix lui avait promis. Aussitôt chacun s'arma d'un pic; tous deux coururent à l'endroit marqué, et creusèrent si bien qu'ils trouvèrent le trésor.

Ils ne changèrent que peu à peu leur manière de vivre, de peur de faire jaser les gens. Le vilain, par contenance, allait tout d'abord deux fois par mois chercher du bois; puis il n'y alla plus du tout. Il vécut à l'aise et en paix, se disant qu'il avait souffert assez de misère dans sa vie. Il mit toute sa confiance dans sa richesse, et ne s'occupa de rien, sinon de vivre heureux et tranquille. Il acheta des terres et des maisons; la considération de tous l'entoura; on le proclama prud'homme* et sage. Tant qu'il avait été pauvre, il n'avait eu amis ni parents. Une fois riche et réputé, il en eut beaucoup, qu'il ne se connaissait pas auparavant. Chacun au riche s'apparente, l'honore et lui fait suite.

Au bout de l'année, il alla au bois; il appela la voix du buisson. La voix répondit :

« Que veux-tu? N'as-tu pas ce qu'il te faut? De quoi te plains-tu?

— Sire Merlin[11], dit-il, en vérité, je suis riche de grand avoir, mais je vous requiers et je vous prie, comme mon ami cher, de vous mettre en peine et travail pour m'accorder une faveur : je voudrais être prévôt[12] de ma ville.

— C'est bien, tu le seras d'ici quarante jours, je te le promets. Va-t'en donc, mais n'oublie pas de revenir d'aujourd'hui en un an me conter tes affaires; et surtout veille à te conduire de manière que Dieu reçoive en gré tes œuvres. »

L'autre s'en revint joyeux à son hôtel[13]. La promesse de la voix se réalisa : il fut prévôt et bailli au terme fixé. Mais il ne fut pas meilleur pour cela. Il se mit au service

8. Mauvais, sans cœur. 9. M'amie, mon amie. 10. Très petite monnaie. 11. A la première rencontre, le vilain appelait Merlin *messire*, titre réservé aux seigneurs; il l'appelle maintenant *sire*, comme s'il s'adressait à un bourgeois ou à un gentilhomme de petite noblesse : le ton est devenu plus familier. Plus tard, le vilain appellera son bienfaiteur *Merlin* tout court, comme un égal; la dernière fois, *Merlot*, avec un air d'insolente protection. 12. Officier chargé de la justice. 13. Riche demeure.

[140] des riches. Venu de bas, plus il s'élevait, plus il devenait arrogant et dur, méchant et plein de colère. Il en vint à oublier tout à fait Dieu dans son orgueil. Il ne se soucia plus des pauvres, son cœur se ferma pour eux. Il se mit à mépriser comme un vil chien le pauvre homme [145] qui avait été son compagnon, et à le haïr, parce que sa rencontre lui rappelait sa pauvreté passée. Il vécut ainsi comme un insensé.

Une année[14], la date fixée arriva. Il se dit qu'il irait encore visiter la voix pour voir ce qu'elle pourrait [150] bien encore lui donner. Car il voulait toujours en tirer quelque chose, sa grande avidité n'étant jamais rassasiée. Il s'en alla donc au bois, en grande fête et magnificence, et fit arrêter sa compagnie sur la lisière. Seul, il se rendit auprès du buisson, et il se mit à crier :

[155] « Merlin, viens donc me parler! Hâte-toi, par ta merci[15], car je ne puis demeurer longtemps ici.

— Qu'y a-t-il? demanda la voix.

— J'ai grand bien, et je suis fort heureux du grand honneur où tu m'as mis; c'est pourquoi je reste pour [160] toujours ton ami. Mais je viens encore te prier de m'aider à marier ma fille au fils du prévôt d'Aquilée[16]. Je voudrais aussi que mon fils devienne évêque de la ville de Blandebecque[17], dont l'évêque vient de mourir. Ce serait ma joie et ma consolation de voir mon fils et [165] ma fille faire honneur à leur famille. Accorde-moi ces deux choses et tu resteras toujours mon ami.

— Je ne me ferais certes pas prier, si je savais que ce fût pour le bien.

— Par ma foi, sans aucun doute. Ma fille est honnête, [170] sage et belle. Et mon fils est si fort lettré qu'il sait lire dans tous les livres; et il a maintenant vingt-cinq ans.

— Va-t'en donc. Je t'accorde ces deux choses. Dans quarante jours, ce que tu demandes arrivera. Mais pense à toi, n'oublie pas de revenir d'aujourd'hui en [175] un an, et fais bien attention à ce que tu demanderas. Fol est celui qui s'endette et ne peut s'acquitter après. »

Le vilain s'en alla donc, se hâtant à coups d'éperon. Il était très heureux de ce que la voix lui avait promis, et sa femme, quand elle le sut, en mena grande joie avec [180] lui.

Au terme fixé, les deux souhaits qu'il avait formés furent réalisés. Mais le vilain resta le même, malgré l'honneur que Dieu lui fit... Son péché cependant le conduisait où il devait le conduire.

[185] Il mena toute cette année-là grand train. Riche d'avoir, pauvre de sens, il vivait comme un fou, n'imaginant pas qu'il pût avoir jamais une autre vie...

14. Le texte original que nous traduisons assez librement, dit qu'il s'agit de l'année suivante. Mais cela ne paraît guère possible, les enfants du vilain étaient petits à la première rencontre, c'est-à-dire deux ans avant. 15. Par grâce pour toi. 16. Aquilée est une ville du littoral oriental de l'Adriatique: on retrouve le « prévôt d'Aquilée » dans un autre fabliau. 17. Peut-être *Blandèques*, en Flandre.

Une nuit vint, où il dit à sa femme : « Il me faudra aller demain parler à la voix du buisson. Bien volontiers je ¹⁹⁰ n'irais point, car je n'ai plus que faire d'elle, et je n'ai cure de la retrouver.

— Sire, dit-elle, allez-y pourtant, et parlez-lui seulement. Dites-lui tout de suite : « Sire, je n'ai plus besoin de vous; cela m'ennuie de venir si souvent. » Vous ¹⁹⁵ serez débarrassé de Merlin de cette façon-là, et vous ne craignez ni lui, ni nul autre. »

Le vilain, pour son malheur, se leva le lendemain; il revêtit ses beaux habits, et, à cheval, s'en alla vers le bois. Avec lui vinrent deux sergents* pour lui tenir ²⁰⁰ compagnie. Il les laissa à quelque distance, et s'en alla seul près du buisson. Il se hâta d'appeler la voix :

« Hé, Merlot! Où donc es-tu? Voici longtemps que je t'attends. Viens vite, je te dirai ce que je veux, et je m'en irai après. »

²⁰⁵ La voix lui répondit de dessus un arbre : « Je suis dans cet arbre, et peu s'en faut que ton cheval ne m'ait écrasé. Dis-moi ce que tu viens chercher.

— Je suis venu prendre congé de toi. Je veux te faire entendre que je ne veux plus prendre la peine de tant ²¹⁰ aller et venir : cela m'ennuie, ce n'est pas mon affaire de prier et réclamer. Je ne te demande plus rien. Adieu donc, je m'en vais, que Dieu te garde!

— Vilain, vilain, cela ne te pesait pas de venir ici chaque jour, avec ton âne, chercher les bûches dont la ²¹⁵ vente soutenait ta pauvre vie... Puis tu es venu une fois l'an, pour obtenir ce que tu voulais. J'ai bien mal placé mes services! Tu es devenu fier et arrogant, et tu ne crois plus que mal te puisse advenir un jour, comme à un vilain fol et présomptueux que tu es, plein de mal et ²²⁰ vide de bien! Quiconque aide un vilain, celui-là cueille pour soi-même la verge qui le battra! Quand tu m'as parlé pour la première fois, tu m'as appelé monseigneur* *Merlin*, en simple brave homme que tu étais; puis après, *sire Merlin*, et puis, *Merlin*, et puis, *Merlot*. ²²⁵ Ton misérable cœur n'a pas su m'honorer, ni glorifier mon nom... Vilain, Dieu t'avait prêté de grandes richesses et tu n'as pas su t'en servir avec bonté; tu as été avide du bien d'autrui. Tel un chien qui se nourrit de charogne, et, rassasié, se couche dessus, parce qu'il ²³⁰ ne peut plus en manger, et ne veut pas en donner aux autres, tu n'as pas voulu dépenser ton avoir, ni l'employer à bien faire. Vilain, vilain ânier, vide de toutes grâces, vilain tu es et resteras. Tu vas retourner à ton premier métier. Des grands biens que je t'avais donnés, ²³⁵ tu n'auras pas plus qu'au temps où tu gémissais de ta

Archives Photographiques

Le mois de juillet : la fenaison.

Sous leur grand chapeau qui les protège du soleil, les
hommes fauchent dans les prés, au pied du château de
Poitiers ; à droite, une femme avec une grande coiffe
s'affaire à la tonte des moutons (*Très Riches Heures du
Duc de Berry*).

pauvreté... Tu m'as trompé, la roue de la Fortune va tourner pour toi, et tu ne pourras t'en relever. »

Le vilain, qui ne craignait rien de tout cela, quitta la forêt, et ne tint pas plus compte des paroles de Merlin
240 que d'une coquille de noix. Il ne fit qu'en plaisanter, et continua de vivre à son gré, sans vouloir changer sa nature et son cœur insensé...

Bientôt sa fille mourut sans laisser d'héritiers, et le vilain perdit avec elle la dot qu'il lui avait donnée. Son
245 fils, l'évêque, mourut peu après. Il en eut grand chagrin, mais il n'eut pas l'idée de s'amender, et il ne reconnut pas en lui-même sa méchanceté. A la fin, le seigneur du pays, qui venait de faire la guerre, vint dans la ville dont le vilain était bailli[18]. On lui raconta que le vilain,
250 méchant et avare, possédait plus d'or et d'argent qu'aucun banquier de Cahors[19]. Le seigneur le fit venir, et lui demanda une partie de son bien. Et le vilain, qui ne savait point donner, répondit qu'il n'avait rien.

Alors le seigneur se fâcha, et lui jura qu'il n'aurait
255 plus rien, en vérité. Il lui prit tout ce qu'il avait, si bien qu'il ne lui resta plus de quoi manger. La prophétie se trouva réalisée.

Que vous dirai-je de plus?... Il se donna tant de mal qu'il put gagner de quoi acheter un âne, et s'en retourner
260 au bois chaque jour; il reprit ainsi son premier travail... Il travailla des mains, non de cœur; et il usa sa vie dans la peine, puni de son fol orgueil.

18. Officier qui rendait justice au nom d'un seigneur ou du roi.
19. Dont la richesse était proverbiale (G. Paris).

1. Faites le plan de ce récit : dans ses grandes lignes, en distinguant l'exposition, la conclusion et les scènes successives ; dans le détail, pour dégager la gradation dans le comportement du vilain.
2. Comment la femme du vilain se conduit-elle ? Quelle différence trouve-t-on entre ses récriminations du début et son conseil du dernier épisode ?
3. Quels traits permettent de se représenter la vie des personnages dans leur première condition et après leur enrichissement ? Quels sont les tableaux précis, les tableaux émouvants ?
4. Relevez les pensées où l'expression revêt la forme d'une maxime.
5. Quelle est la leçon ? Où est-elle exprimée ?
6. En quoi est-ce là un « conte » ? Quelle est la place du merveilleux ?

Distingue-t-on toujours nettement *Fabliaux* et *Contes* ? — *Contes* ou *Fabliaux*, que préférez-vous dans l'ensemble ? Pourquoi ?

****

Les *Fabliaux et* les *Contes* vus par...

GASTON PARIS, *La Littérature française au Moyen âge*, 1890.

« Le caractère général des fabliaux est d'être plaisants, et ce caractère est indiqué par plusieurs des noms dont les poètes qualifient leurs récits (une *trufe*, une *bourde*, une *risée*, un *gab*)... Tous ont le grand mérite de peindre la vie réelle de leur temps, non de parti pris, mais sans le vouloir ; de nous faire pénétrer dans les intérieurs nobles, cléricaux, bourgeois ou ruraux, et de nous parler la langue familière et quotidienne des diverses classes de la société. »

JOSEPH BÉDIER, *Les Fabliaux*, 1893-1925, 4ᵉ éd.

« Tous ces contes... manifestent les deux traits les plus saillants de cet esprit : la verve facilement contente, la bonne humeur ironique. On y rit de peu, on y rit de bon cœur. C'est un esprit léger, rapide, aigu, malin, mesuré. Il nous frappe peu, nous Français, précisément parce qu'il nous est trop familier... Il est la malice, le bon sens joyeux, l'ironie un peu grosse, précise pourtant et juste. Il ne cherche pas les éléments du comique dans la fantastique exagération des choses, dans le grotesque ; mais dans la vision railleuse, légèrement outrée du réel.

« ...L'esprit des fabliaux n'est que rarement satirique... La satire suppose la colère, la haine, le mépris. Elle implique la vision d'un état de choses plus parfait, qu'on regrette ou qu'on rêve et qu'on appelle. Un conte est satirique, si l'historiette qui en forme le canevas n'est pas une fin en soi ; si le poète entrevoit, par-delà les fantoches qu'il anime un instant, un vice général qu'il veut railler, une classe sociale qu'il veut frapper, une cause à défendre. Les contes de Voltaire sont d'un satirique ; La Fontaine, en ses contes, n'en est pas un. Nos diseurs de fabliaux ne s'élèvent point jusqu'à la satire : ils s'arrêtent à mi-route, contents d'être des maîtres caricaturistes. Ils n'ont dans l'âme aucune amertume. Ils jettent sur le monde un coup d'œil ironique : clercs, vilains, marchands, prévôts, vavasseurs, chevaliers, moines, ils esquissent d'un trait rapide la silhouette de chacun, et passent. Ils peignent une admirable galerie de grotesques, où personne n'est épargné, mais où l'on n'en veut à personne. Ils ne s'indignent, ni ne s'irritent, ils s'amusent. »

LOUIS BRANDIN, *Lais et Fabliaux*, 1932.

« Une fois la part faite de la caricature, ils nous permettent de reconstituer mille piquants détails des mœurs et des coutumes de jadis. La naïveté et la vivacité des conversations qu'ils mettent en scène parachèvent l'illusion. »

GUSTAVE COHEN, *La Vie littéraire en France au Moyen âge*, 1949.

« Beaucoup de ces fabliaux ont inspiré les maîtres imagiers pour les sculptures accessoires, nommément les médaillons qui illustrent l'extérieur de la cathédrale ou les miséricordes satiriques des stalles du chœur... Leurs inspirateurs ecclésiastiques n'intervenaient pas pour entraver non plus dans les détails extérieurs leur exécution, et ceci montre l'extraordinaire fantaisie et variété de l'art médiéval, que ce soit dans la sculpture ou dans la littérature qui l'inspire. »

INDEX

Ami, amie   terme de tendresse qui s'emploie indifféremment pour un fils, un frère, une épouse, une sœur, souvent précédé de l'expression *bel* ou *beau doux.*

Bachelier   primitivement « jeune gentilhomme », aspirant chevalier, puis jeune homme qui a reçu le premier grade dans une université (d'où le sens actuel), puis « jeune homme » (jusqu'au XVIIe siècle, La Fontaine).

Bailler   porter, avoir à sa charge, d'où : apporter (*un bailleur de fonds*).

Barillet ou *barisel* petit baril, de « baral », mesure de vin, puis vase à vin.

Beau   terme d'affection dont on fait volontiers précéder le titre de parenté (on ne s'appelle que rarement par son nom au Moyen âge où les titres de politesse révèlent les nuances délicates de la tendresse humaine ou un sens exercé des égards et du respect). Signifie *cher,* d'où beau-frère, beau-père.

Besant   monnaie d'or byzantine d'une valeur intrinsèque de 10 sous tournois, mais d'un pouvoir très supérieur.

Bliaut   tunique ajustée en drap ou en soie, remplacée plus tard par la *cotte* à peu près semblable.

Bourde   plaisanterie.

Bourdon   bâton de pèlerin.

Bourgeois   habitant des villes (communes rurales ou grandes villes) auxquelles ont été octroyés des *droits, libertés* ou *privilèges* figurant dans des coutumes écrites ou s'exprimant dans des institutions. Il existe un *droit de bourgeoisie,* et, corrélativement, un *serment de bourgeoisie.*

Braies   caleçon de toile qu'on ne voit pas.

Céans   ici dedans. S'oppose à *léans* (là-dedans); devenu archaïque, survit dans quelques locutions : *le maître de céans.*

Chape   manteau vague.

Chapelain   desservant d'une chapelle.

Charme   formule magique qui peut être versifiée ou chantée (latin *carmen*).

Chef   tête (latin *caput*).

Chère   visage, tête (bas latin *cara*), d'où manière d'accueillir et de traiter des convives : *faire bonne chère à quelqu'un.*

Clerc   lettré, qui a fait des études. S'oppose souvent à *laïc.* Même quand il ne compte pas devenir prêtre, le clerc reçoit souvent les ordres mineurs et la tonsure. Il peut se marier et exercer les professions libérales.

Courtepointe   tapis ou couverture peinte.

Courtois   qui a les manières et le langage raffinés des cours royales ou seigneuriales.

Cri   appel des marchands pour arrêter les chalands. Chaque corps de métier a son *cri,* le plus populaire est le *cri* du tavernier.

Dame	titre de politesse qu'un mari donne à sa femme (le mot de tendresse est *sœur*), ou un fils à sa mère : *dame mère*.
Déchaux	déchaussé, pieds nus. Survit dans le nom d'ordre religieux : *carmes déchaux*.
Denier	la plus petite pièce de monnaie (latin *denarius*); un sou vaut *douze deniers*. Se prend parfois dans le sens général d'argent.
Destrier	cheval de bataille.
Dit	court récit moral.
Ditelet	petit *dit*.
Dom	titre ecclésiastique qui se donne à certains religieux, en particulier aux Bénédictins et Chartreux. Par extension, s'emploie avec le sens de maître.
Écarlate	nom d'étoffe en drap de couleur rouge vif.
Ennemi	l'ennemi par excellence, le diable.
Errant	vagabond.
Fable	récit.
Félon	qui manque à sa parole, d'où : traître.
Gab	plaisanterie.
Gabet	plaisanterie, raillerie.
Gentil	noble, de bonne race (latin *gentilis*).
Gentilhomme	homme de la noblesse, d'où : homme d'honneur.
Haire	chemise de laine ou de crin portée sur la peau, comme instrument de pénitence.
Hanap	coupe, vase. *Boire à grandes hanepées.*
Hôte	celui qui reçoit.
Housse	couverture.
Jagonce	pierre précieuse.
Livre	monnaie qui vaut *vingt sous*.
Madre	cœur de certains bois dont on fait des coupes ou des vases.
Maître	terme de politesse dont on salue aussi bien le drapier qui a terminé son apprentissage que l'étudiant en théologie qui a obtenu la licence d'enseignement.
Manant	paysan qui reste attaché à sa terre.
Manoir	maison ou endroit où l'on séjourne, où l'on demeure.
Mire	médecin.
Once	poids qui a varié de la douzième (latin *uncia*) à la seizième partie de la livre.

Palefroi	cheval de promenade ou de parade.
Partir	partager. Avoir maille *à partir* : avoir maille (menue monnaie *à partager*).
Patenôtre	altération du latin *Pater noster* (notre Père), premiers mots de l'Oraison dominicale.
Plaid	procès.
Prud'homme	exprime l'idéal médiéval, comme l'*honnête homme* celui du XVIIᵉ siècle. Ménage résume ainsi les qualités de l'*honnête homme* : il doit posséder « la justesse de l'esprit et l'équité du cœur; l'une est une vertu en l'esprit qui combat les erreurs et l'autre une vertu au cœur qui empêche l'excès des passions soit en bien, soit en mal. » Les vers suivants résument les qualités requises du prud'homme :

> Tant est prud'homme, si comme semble,
> Qui a ces deux choses ensemble :
> Valeur de corps et bonté d'âme.

	Parfois, dans un sens plus vague, signifie : *homme honorable, considéré, de bon conseil.*
Pucelle	jeune fille.
Risée	plaisanterie.
Robe	vêtement ample, souvent fourré, qui descend assez bas et se porte sous un manteau sans manches attaché au cou par une agrafe.
Roussin	cheval de trait, ou de charge.
Seigneur	titre dont on salue des personnes de condition égale ou inférieure. Le titre de *Monseigneur* ou *Messire* est affecté aux chevaliers, surtout quand on les nomme à la troisième personne.
Sergents	hommes d'armes.
Sire	titre dont on salue un chevalier, un bourgeois, un père ou un époux. Un inférieur est volontiers salué du nom de *frère*, *beau-frère*.
Solier	grenier (du latin *solarium*).
Sommier	bête de somme, cheval, mulet, ou âne.
Sou	petite monnaie qui vaut douze deniers, en argent.
Truand	mendiant, vagabond.
Valet	jeune noble, écuyer. Par extension : jeune garçon au service d'un noble, puis domestique, sens qui a prévalu depuis le XVIIᵉ siècle.
Vassal	titre dont on interpelle un inconnu de rang modeste, ou jugé tel.
Vilain	paysan libre qui habite un domaine, *villa* en latin. Aucun sens péjoratif dans ce mot (par exemple, *Le vilain mire* : le paysan médecin).

Table des matières

FABLIAUX

Estula 8
De Brunain et de Blérain 11
Le Prud'homme qui sauva son compère 13
   (Texte original, extraits) 14
Du Vilain qui conquit le Paradis par plaid 17
   (Texte original, extraits) 19
Le Dit des perdrix 21
Le Vilain Mire 25
Les trois aveugles de Compiègne 31
La Housse partie 37
   (Texte original, extraits) 43

CONTES

Le Larron qui embrassa un rayon de lune 45
Du Vilain et de l'oiselet 48
La Sacoche perdue 50
Le Chevalier au barillet 52
Merlin 68

Imprimé en Belgique par Casterman, S.A., Tournai. JL 2725-5638.
Dépôt légal : 1er trimestre 1976, n° 3367.